日本語プロフィシェンシー研究

Journal of the Japanese Association of Language Proficiency

第7号
2019.6

日本語プロフィシェンシー研究学会
Japanese Association of Language Proficiency

JN118724

にほんごの
凡人社
BONJINSHA

日本語プロフィシェンシー研究　第 7 号

目次

【寄稿論文】

初級日本語教科書の練習問題をめぐって　（坂本正）……………………………………… 5

【研究論文】

日本語口頭能力テスト「JOPT」開発と予備調査　（李在鎬・伊東祐郎・鎌田修・坂本正・
　嶋田和子・西川寛之・野山広・六川雅彦・由井紀久子）………………………………… 28

「問い合わせ」のメール文におけるドイツ語母語話者の使用状況
　（金庭久美子・村田裕美子）………………………………………………………………… 50

【調査報告】

質問意図からみる「どう・どんな質問」の効果的な発話抽出方法の提案
　―OPIテスター訓練生のインタビューから―　（濵畑静香・持田祐美子）…………… 72

【研究ノート】

中国語母語話者及び韓国語母語話者の引用表現の習得
　―発話コーパス『C-JAS』に基づく縦断的研究―　（矢野和歌子）…………………… 86

**【日本語プロフィシェンシー研究学会、日本語音声コミュニケーション学会、文部科学省
科研費プロジェクト基盤 B「対話合成実験に基づく、話の面白さが生きる「間」の研究」
共同開催研究大会「面白い話と間、プロフィシェンシー」研究発表要旨】**

　（林良子・宿利由希子・ヴォーゲ ヨーラン・羅希・定延利之・仁科陽江・岩崎典子・
　五十嵐小優粒）……………………………………………………………………………… 97

**【2018 年度日本語プロフィシェンシー研究学会第 3 回例会
春合宿（柳川温泉かんぽの宿）　研究発表要旨】**

　（山辺真理子・小原寿美・S.M.D.T.ランブクピティヤ・溝部エリ子・小山宣子・
　立部文崇・鎌田修・由井紀久子・廣澤周一・池田隆介・定延利之）…………………… 101

【彙報】

事務局 …………………………………………………………………………………………… 108

ニューズレター ………………………………………………………………………………… 109

ブラッシュアップセッション検討委員会 …………………………………………………… 112

ジャーナル編集委員会 ………………………………………………………………………… 113

会計 ……………………………………………………………………………………………… 113

『日本語プロフィシェンシー研究』バックナンバー ……………………………………… 114

日本語プロフィシェンシー研究学会　2018年度役員・委員 ……………………………… 118

初級日本語教科書の練習問題をめぐって

坂本正 (名古屋外国語大学)

要旨

外国語教育におけるドリルについて分類し、大きく３つのドリル、機械的ドリル、有意味ドリル、そして、コミュニカティブドリルに分け、その特徴について比較した。次に第二言語習得の観点から、第二言語習得理論とドリルの関係について、様々な視点から考察を加え、関係図を作成した。さらに、多くの初級教科書に使用されている練習問題の問題点を指摘し、言語習得を促進するような練習問題とはどのような問題かを模索し、サンプル問題を提示した。発話の意味理解を助ける状況、文脈の下で言語インプットの意味が正しく解釈、理解でき、更にその意味を表すのに必要な言語形式が使える力を養う練習問題がこれから作られる日本語の初級教科書の練習問題には求められよう。

キーワード：機械的ドリル、第二言語習得理論、初級教科書、状況、意味、言語形式

On Drills in Language Teaching

Tadashi Sakamoto (Nagoya University of Foreign Studies)

Abstract

First, we, discussed three kind of drills, i.e. mechanical drills, meaningful drills, and communicative drills used in foreign language education and compared these three drills in the form of a chart. Secondly, we tried to incorporate the theories of second language acquisition to drill activities and demonstrated their relations from various viewpoints using figures. We then illustrated typical drill exercises and displayed problems hidden among them in order to gain some important factors (context, meaning and function, and form) needed in appropriate drills from a viewpoint of the SLA theories. Finally, we applied those factors to actual drill development and introduced some example exercises in elementary Japanese.

Keywords: mechanical drill, second language acquisition, context, meaning, function, form

1. はじめに

本稿は、2019年1月12日に京都外国語大学で行われた日本語プロフィシェンシー研究学会での講演「初級日本語教科書の練習問題再考」と坂本 (2014) などを基にして、加筆修正したものである。

多くの日本語教育機関の初級レベルでは、すでに出版されている日本語教科書を使って教えられる場合が多い。まず、ドリルについての先行研究を紐解き、ドリルについての整理を試みる、次に、日本語の主な初級教科書に用いられているドリル、練習問題を収集し、これまでに教科書に採用されているドリルがどのようなものか、またその問題点にも言及し、第二言語習得研究の視点を取り入れた、学習者の言語習得を促す練習問題の姿を模索し、提示してみたい。

2. ドリルについて

外国語教育の世界では、1950年代から1970年代にかけて、オーディオリンガルメソッ

ド (Audio-Lingual Method) が言語教育の世界を席巻し、当時いろいろな言語の教科書もこの教授法に沿ったものが数多く作られた。日本語教育の世界でも例外ではない。この時代の典型的な初級日本語の教科書にJorden & Chaplin (1962) やYoung & Nakajima-Okano (1963) などがある。どちらも北米で出版された教科書である。

Moulton (1961) は、行動主義心理学の学習理論に基づいたオーディオリンガルメソッドは、模倣 (mimicry)、記憶 (memorization)、そして文型練習 (pattern drills) で成り立っており、条件付けとドリル練習を通して言語習慣を身に付けていくとしている。つまり、何度もターゲットの文型の文型練習を行って、それを模倣し、記憶することで学習者は言語を学ぶというのである。当時、出版された外国語の教科書に機械的な文型練習が多いのも、この考え方が大きく影響しており、それが教科書に表れている。

言語教育では練習のことを一般的にドリルということが多いが、Littlewood (1981) はドリルを前コミュニケーション活動 (Pre-communicative activities) とコミュニケーション活動 (Communicative activities) の2つに分けている。前コミュニケーション活動は文の構造、文型を練習する活動や疑似コミュニケーション活動のことで、コミュニケーション活動は機能的コミュニケーション活動や社会的インターアクション活動のことである。

さらに、Carroll (1971)、Kameen (1978)、Rivers (1968)、Paulston (1971)、そして、Paulston and Brouder (1976) は、さらに進めてドリルを3つに分けている。機械的ドリル (mechanical drills)、有意味ドリル (meaningful drills) 、そして、コミュニカティブドリル (communicative drills) である。機械的ドリルと有意味ドリルがLittlewood (1981) の前コミュニケーション活動に相当し、コミュニカティブドリルがコミュニケーション活動に当たるということができよう。Paulston (1971) は、機械的ドリルは、答えは完全に教師にコントロールされており、答えが1つしかないドリルである (p.204) と定義している。このドリルの大きな欠点はたとえ形式上正しい答えを学習者が出しても、意味まで正確に理解して答えているかどうかがわからない点である。極端に言えば、意味が正確に理解できなくても形式上正しい答えを返すことが可能である。以下、動詞のテ形を作る練習を見てみよう。

例1

教師：読む　　　学習者：読んで

教師：開ける　　学習者：開けて

教師：聞く　　　学習者：聞いて

と形式上正しく答えても、学習者が意味がわかって答えているという保証はどこにもない。このようなドリルは、意味が理解できなくても、できてしまうドリルということが言える。活用練習、反復練習、変換練習、代入練習、結合練習などはその典型的な練習であると言えよう。このような機械的ドリルの目的は形式上の正確さを身に付け、自動的に形式上の操作ができるようになるということであろうか。機械的ドリルは意味がわからなくてもできるという大きな短所もあるが、長所も少なくない。一人ひとりの個人の練習だけでなく、クラス全体で答えるドリル (choral drills) もでき、クラス全体に一体感が生まれる。また、時間をかけずにテンポよく練習が進むので、多くの既習語彙などを練習させることができる。さらに、何度も繰り返し、繰り返し練習するので、記憶にも残りやすい。また、機械的ドリルで出てくる答えに関しては教師がその善し悪しを判断する決定権を持つので、形式的な正誤判断が即座にできる母語話者の教師にとっては易しい練習となる。また、教案作成の面でも非常に作りやすく、多くの練習ができるので、今なお多くの教科書に出ており、語学教師も教室でこれらの練習を行っているのではないだろうか。

　言葉の正確な意味理解がなくては答えることができないドリルが有意味ドリルである。以下、そのドリル例を示す。

　　例2
　　教　師：キムさんの隣にいる人は誰ですか。
　　学習者：キムさんの隣にいる人はジョンソンさんです。
　　教　師：そうですか。キムさんの前にいる人は誰ですか。
　　学習者：キムさんの前にいる人はリーさんです。

　正しい答えが返ってくると、学習者が質問の意味がわかって答えていることがわかる。また、普通の会話なら「ジョンソンさんです。」だけの答えのほうが自然であろうが、文全体を繰り返させることでこのときの学習項目の文型もしっかり使わせている。この有意味ドリルも意味がわかならいと答えられないという点では機械的ドリルよりも一段優れた練習になるが、短所も少なくない。この練習でも学習者に自分から述べたい事柄を言わせているというわけではない。さらに、教師側からすると、状況から答えがわかっていることを質問しているので、コミュニケーション本来の姿からいうと不自然である。さらに、質問・答えというコミュニケーションの形式はとっているが、返ってくる答えはまだ教師のコントロールの

下での答えになっており、また文全体を繰り返させているので自然な答え方にもなっていない。意味理解という点は改善されたが、まだ文構造の分析・操作を通して、自動的にその構造が作れるように練習するという言語形式の習慣形成を目指した練習であるという感は否めない。

　Khodamoradi & Khaki (2012) は 機械的ドリルと有意味ドリルの効果を比較した研究を行っている。形容詞の比較級と最上級をpre-test と post-testにおいて比較した結果、有意味ドリルを受けた学習者のほうが機械的ドリルを受けた学習者よりpost-testの得点が伸びていたことがわかったという。

　コミュニケーション本来の形をとっているのは、コミュニカティブドリルである。

　　例3
　　教　　師：今朝何時に家を出ましたか。
　　学習者：7時に出ました。
　　教　　師：早いですねえ。で、何時に学校に着きましたか。
　　学習者：8時半頃着きました。

　　例4
　　教　　師：先週の週末は何をしましたか。
　　学習者：デパートに買い物に行きました。
　　教　　師：そうですか。何を買いましたか。
　　学習者：セーターを買いました。

　教師がする質問の意味がわからなければ答えられないし、教師も本当に答えを知らない答えになっている。つまり、回答に関してはすべて学習者に任されていて、教師の介入はないのである。また、答えが1つには決まらず、無限の可能性があり、学習者の創造的な、かつ、自由な言語表現が期待できるが、逆に、それだけ学習者側の負担も大きくなる。しかし、学習者自身が表現したいことが表現できる自由が与えられるので、実際のコミュニケーションに近づくと言えよう。コミュニカティブドリルにおいては、教師が答えを知らないという点が、特に機械的ドリルとの大きな相違点である。コミュニケーションの基本的な特徴の1つが二者間の新情報のやり取りだとすると、この練習はまさに新情報のやり取りを行ってい

ると言える。言語形式の習慣形成を目指した練習が機械的ドリルと有意味ドリルで、既習文型や語彙を自由に活用し、教師のコントロールから解放され、その場に応じた適切な創造的な応答をするのがコミュニカティブドリルと言えよう。

　Paulston (1971) とPaulston and Brouder (1976) は、この3つのドリルは機械的ドリル、有意味ドリル、そして、コミュニカティブドリルという流れで行われる必要があると述べているが、行動主義心理学の学習理論からすると納得がいく。教科書のドリル練習もこの流れに沿って作られているはずだが、実際には、機械的ドリルの量が他の2つのドリルに比較すると圧倒的に多い、または極端な場合は機械的ドリルしかない教科書もある。Khodamoradi & Khaki (2012) でも、今なお伝統的な教え方では、言語クラスにおいて機械的ドリルがほとんどを占めていると述べている。

　表1は、これまでの主張と筆者の意見をまとめたものである。

＜表1＞　3つのドリルの比較

	機械的ドリル	有意味ドリル	コミュニカティブドリル
ドリルの目的	正しい形式の習慣形成	正しい形式の習慣形成	適切な創造的な応答
教師のコントロール	非常に高い	高い	ほとんど無し
答の数	一つ	少数	無数
クラスの練習の一体感	高い	低い	ほとんど無し
学習者の創造性	非常に低い	低い	高い
目標項目の練習量	非常に多い	多い	少ない
情報交換	無し	無し	有り
学習者の満足度	低い	中程度	高い
ドリルの種類の豊富さ	多い	少ない	少ない

3. 第二言語習得理論の視点から

Lamendella (1979, 7)は言語習得を大きく第一次言語習得と第二次言語習得に分けている。さらに、第二次言語習得を外国語学習と第二言語習得とに分類している。

(1) 第一次言語習得 (Primary Language Acquisition)
(2) 第二次言語習得 (Nonprimary Language Acquisition)
   A: 外国語学習(Foreign Language Learning)
   B: 第二言語習得(Secondary Language Acquisition)

第一次言語習得 (Primary Language Acquisition) は、誕生から12、13歳前後までの敏感期に起こる言語発達で、習得された言語が通常母語になる。第二次言語習得(Nonprimary Language Acquisition)は母語を身に付けたのち、敏感期を越えた12、13歳前後から始まる中間言語の発達で、母語と同等レベルまで発達させるのは非常に難しくなる。第二次言語習得は、さらに日本で日本人が外国語を学ぶ場合のような外国語教育環境で多くは教室で明示的に文法の説明を受け、前述したドリル練習などを受ける (A)外国語学習と、その言語が話される国に行き、自然習得環境のコミュニケーション場面で多くの言語インプットに触れ、暗示的に言語を習得し、教室で行われる機械的ドリルや有意味ドリルなどは提供されない (B)第二言語習得に分けられる。この分類から言うと、教室内での言語指導が関係するのは、外国語学習ということになる。しかし、Lamendella (1979) のこの分類には言及がないが、日本に来て、日本語の教室で日本語を学ぶ混合環境というのも存在する。教室で明示的な説明を受け、意識的にドリル練習を受けながらも、一歩教室を出ると自然習得環境に入り、疑似ではなく真のコミュニケーション活動を行うという言語習得環境である。前節で述べた3つのドリルも外国語学習環境にいる学習者と混合環境にいる学習者に対してなされる練習と言える。

Lee & VanPatten (2003) とVanPatten (2003) は、第二言語習得 (Second Language Acquisition、以下、SLAと略す) に関して5つの一般的なビリーフがあると述べている。それらは、(1) SLAは暗示的な、無意識の言語システムの創造に関係している、(2) SLAは複雑で、様々なプロセスで成り立っている、(3) SLAはダイナミックだが、発達が遅い、(4) 第二言語学習者の多くは、その言語の母語話者レベルまで習得が進まない、(5) スキルの習得は、暗示的な言語システムの創造とは異なる、というものである。本稿と深く関係があるの

は、(5) のスキルの習得に関する言及である。外国語学習環境においても混合環境においても、教室で明示的に文法説明を受け、機械的ドリルや有意味ドリルなどの意識的なドリル練習をするという点では、言語スキルの習得を目指していることになろう。この (5) のビリーフは、Krashen (1979, 1982, 1985) のノンインターフェイスの立場 (non-interface position) と軌を一にしている。つまり、明示的な教授、学習を通して意識的に身に付けた知識は言語の無意識な発達には影響しない、習得には繋がらないという主張である。Krashenは、支援的な自然環境における理解可能な言語インプットが習得を成功に導くには十分であるとした。明示的な文法説明や意識的なドリル練習は不要であるという考えである。しかし、一方、Bialystok (1978) は、インターフェイスの立場 (interface position) をとり、明示的な知識が暗示的な知識に変わるために意図された豊富な練習が重要であると主張した。この意識的な学習が練習を通して無意識の習得に繋がるかどうかの議論は今もまだ決着がついていないようだ。

　Krashenは理解可能なインプットが言語習得を促進するとインプット仮説を唱えたが、インプットが言語習得に極めて重大であることは誰も否定していない (Gascoigne, Jourdain & Wong, 2009)。Gass (1997) もインプットはSLAに十分な条件ではないかもしれないが、その必要性については議論の余地はないとしている。Polio (2007) もインプットは、単にインプットに触れる機会だけでは十分ではないが、SLAに必要な要因であるとしている。

　SLA研究者の間では、効果的な第二言語教育に関して、以下の要素が必要であるという一致した見解があるようである (Wong, 2009)。それは、(1) 十分な量の第二言語のインプットが与えられ、(2) 形式と意味をマッピングする手段、方法があり、そして、(3) 意味あるアウトプットを産出する機会が与えられているという 3 点である。

　第二言語習得理論では、たびたび言語受容のインプットと言語産出のアウトプットという用語が使われるが、この二者を反映してか、第二言語習得理論の中にはインプットを重視した理論とアウトプットを重視した理論がある。インプットを重視した理論の主なものは、VanPattenの一連の研究 (VanPatten, 1996, 2002, 2004; VanPatten & Cadierno, 1993; VanPatten & Lee,1995) に見られるインプット処理理論 (input-processing theory) である。この理論は学習者が第二言語のインプットを処理する際に、そのインプットの意味を解釈するためにインプットの中のある文法形式に注意を払い、その形式を処理して、いかにインプットをインテイク (intake) に変えることが可能になるかに関しての理論で、その際、学習者が文法形式に注意を向けるために用いるストラテジーが重要であると主張している。それに

対して、アウトプットを重視した理論の主なものは、既習の明示的な知識を、アウトプット練習を通して、暗示的な知識に変換して、自動化するというスキル習得理論 (skill-building theory) である。Anderson (1983, 1985) のACT* (Adaptive Control of Thought) モデルがその代表的なものであろう。これは、文法規則などの明示的な説明を受け、ことばで述べることができる、学習した宣言的知識 (declarative knowledge) を様々な状況で繰り返し練習、使用することによって手続き的知識 (procedural knowledge) に変え、言語操作のスキルが自動化するというスキル習得論の立場である。授業などで受けた明示的な知識がアウトプット練習を通して暗示的な知識に変わり、言語の自動化が進む (Ellis, 2001) という主張であると言ってもよいであろう。

　教室環境においての学習を考えると、インプットを重視した主張もアウトプットを重視した主張もともに大変重要なことがわかる。語学教師は授業で多くの言語インプットを学習者に提供するわけだが、ただ無目的にランダムに提供しているのではなく、学習者に意味解釈に必要な学習項目、言語形式に注意を払って、その存在に気づいて (notice) もらえるようにいろいろな工夫をする。その際に、何に気づいたか質問したり、明示的に簡単に言及したりして、学習者が教師が意図したところに確実に気づくことができたかどうかを確認する。この気づきを通して意味と言語形式のマッピングが行われ、中間言語に組み込まれる可能性が高くなる。中間言語に組み込まれた学習項目、言語形式、文法規則、または、教師から直接明示的な文法説明を受けた言語形式を使って、十分な量のアウトプットの練習をし、言語形式の自動化を促すという一連の流れになっていると考えることができるのではないか。Long (1988) は、教室におけるフォーマルな言語教授は第二言語の発達を早め、高いレベルのプロフィシェンシーに導くことに貢献するとしている。インプットを中心に帰納的に教えて言語形式に意識的に気づかせる方法をとっても、文法を演繹的に教えてアウトプット練習を通して自動化を促す方法をとっても、どちらもどこかの時点では言語形式に対する意識的な明示的な文法理解の瞬間が存在し、まさにその瞬間が教室環境における第二言語の発達に大きな役割をはたしているのではないだろうか。

4.　第二言語習得理論とドリルの関係

　ここでは、図1を用いて、第二言語習得のインプットからアウトプットへの流れ、インプット処理とアウトプット処理、ドリルの種類、コミュニケーション、言語形式への意識、意味への焦点と形式への焦点、意味への意識、教師の役割などの関係を示す。直角三角形や菱形

の高低や厚さはその項目の程度の大小を表している。

　図1では、まずもっとも上の流れは、インプットの中から中間言語に内在化されるものがインテイクされ、それまでに構築された中間言語を再構築し、今度はその中間言語を出発点としてアウトプットがなされるという流れである。次がインプット処理とアウトプット処理が関係する範囲を示している。その下が、暗示的なインプットを受けて意味と形式のマッピングが行われる位置を表している。その右の方は、伝統的な授業で、明示的な文法指導から始まり、機械的ドリル、有意味ドリル、そして、コミュニカティブドリルへと移行する時点を示している。次はコミュニケーションの質を考えると、何かの言語形式を教えようとして行う疑似コミュニケーションから始まり、状況理解、意味理解を通して、形式の理解へ進むものと、明示的な文法指導から始まり、ほとんどコミュニケーションがないところから3つのドリルを経て、本当のコミュニケーション活動が行われる真性コミュニケーションに至るプロセスを示している。次は、言語形式にどれほど注意を、意識を向けているかということを表すもので、暗示的なインプットを提供するという帰納的な指導法で開始しても、意味確認、形式確認という明示的な教授面も途中から出てくることから、言語形式への意識が徐々に増えていくという流れを捉えている。また、意識的な明示的な文法指導から始まる演繹的な指導法の場合は、最初は言語形式に対する学習者の意識が高いところから始まって、3つのドリルを経て、徐々に言語形式に対する意識が減少していくことを表している。次は意味への意識の強さだが言語形式とは逆に、帰納的な指導法では最初は意味への意識が非常に高く、徐々に言語形式への意識が高くなっていくに従い、弱くなっていく。演繹的な指導法ではその反対で、形式への意識が高い明示的な文法指導からスタートし、機械的ドリル、有意味ドリル、そして、コミュニカティブドリルへと進むにつれて、コミュニケーション活動になり、意味への意識が高くなっていく。Long (1988, 1991) は教室指導において各学習項目に焦点をおいて一つひとつ指導していくFocus on Forms (FonFS) と意味のやり取りを中心にコミュニケーション活動を行う指導のFocus on Meaning (FonM) とコミュニケーション活動を行っている最中になんらかの理由で一時的に言語形式に焦点を向けるFocus on Form (FonF) の3つの指導法に教室指導を分けているが、FonM、FonFS、そして、FonFの割合が全体的な流れの中でどのあたりに位置するのかを示したものである。Formとだけ書いてあるのは、暗示的なインプット中心の指導を受けても、確認のために明示的な指導をすることから形式に関する明示的な指導が出てくる可能性があることを意味している。最後は、教師の視点からみた教師の役割・負担の大小を全体の流れに沿って、加えたものである。

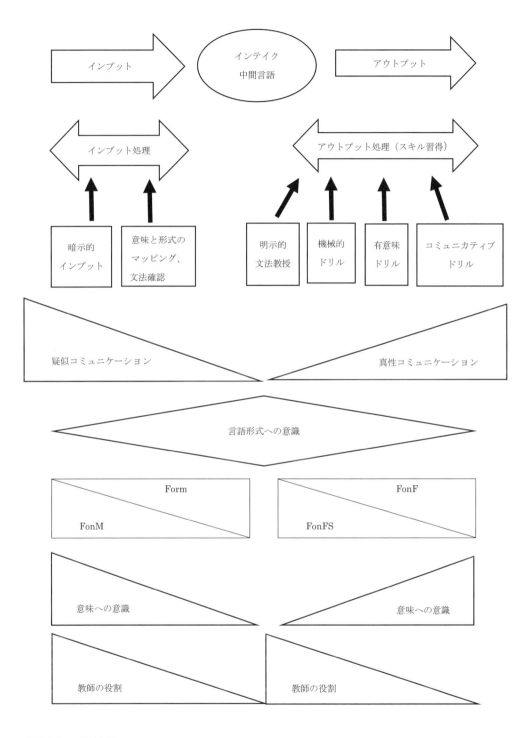

<図1> 関係図

5. 初級日本語の教科書にある練習について

　4節は抽象的な記述が続いたので、5節では具体的に見ていくことにする。初級日本語を教えている日本語教育者と教科書に出ている練習問題について話すことがあるが、一様に以下のようなコメントが返ってくる。

　　1) 単調
　　2) おもしろくない
　　3) 機械的
　　4) 短い
　　5) 文脈がほとんどない
　　6) あまり頭を使わない
　　7) (簡単にでき、) チャレンジングじゃない
　　8) 意味がわからなくてもできる練習が多い

　これらのコメントはどれも非常に否定的であるが、どうしてそのような印象になるのであろうか。

　初級日本語教科書のドリルに関する先行研究に當作 (1986) がある。當作は、約35年前の論文の中で「現在市販されている日本語の初級教科書のドリルを検討してみると、言語要素を学習するための機械的ドリルがその大部分を占め、その言語要素を実際のコンテクストの中で使用している機会を学生に与えるためのドリルが欠けている (p.191、下線筆者)」と述べている。さらに、日本語の初級教科書のドリルを調べてみると、

(1)　特定の文法パターン，形態規則の定着化、学習のために作られたドリル
(2)　使われる語彙・文法パターンが極端にコントロールされているドリル
(3)　コンテクストに依存することなく意味を考えなくても機械的にできるドリル
(4)　日本語を使用して，学習者個人の興味，意志，生活，経験を表現することを主目的としていないドリル

と、より具体的に日本語の初級教科書のドリルの短所を挙げている (p.192)。

　この指摘から早約35年経つが、その後出版された日本語の初級教科書の練習問題は改善

されたのであろうか。以下は、初級日本語の教科書に出ている典型的な練習問題を挙げたものである。変換練習、代入練習、結合練習、穴埋め練習、選択練習、文完成練習、談話完成練習などである。以下の例文では＿＿＿(波線) の部分がそこで練習する学習項目になっている。

例5　ギターを弾きます。━━━━▶　みたが弾けます。

例6　先生が私を呼びました。━━━━▶　私は先生に呼ばれました。

例7　私は友だちにCDをもらいました。━━━━▶　友だちは私にCDをくれました。

例8　孫が泣きました。━━━▶　孫に泣かれて困りました。

例9　夜、(寝ます━━━━▶　寝るまえに) 歯を磨きます。

例10　アパートの電気が消えていますね。山本さん、部屋に (いません━━━━▶　いないよう) ですね。

例11　スーパーへ行きます。買い物します。━━━━▶　スーパーへ買い物に行きます。

例12　すてきなネクタイですね。(父)━━━━▶　ええ、父にもらったんです。

例13　(母にプレゼントをもらう絵を見て)

　　　誰にもらいましたか。━━━━▶　これは母にもらったプレゼントです。

例14　A：ここは東京ですか。

　　　B：いいえ、東京じゃないと思います。

例15　お父さんが漢字を教えてくれました。━━━━▶　お父さんに漢字を教えてもらいました。

例16　高い　━━━━▶　これは高いです。でも、あれはもっと高いです。

例17　ビールを飲む　━━━━▶　ビールを飲もうとしたとき友だちが来ました。

例18　部屋の電気がついて (います、あります、おきます) から、山田さんはもう帰ったと思います。

例19　A：今日、だれか来ましたか。

　　　B：高橋さんが来ました。手紙をなおしてもらいたいと言って。

　　　A：それで、なおしてあげたんですか。

　　　B：ええ、なおしてあげました。

　　　　　　1) 手紙をなおす

　　　　　　2) 本を貸す

　　　　　　3) 英語を教える

これらのドリルを見てみると、當作 (1986) が約 35 年前に指摘した状況と大して変わっていないことがわかる。

6. 現行の教科書のドリルの問題点

これまで様々な研究者がドリル練習に関して、言及していることは 2 節で述べたが、ここでもう少し議論を続ける。Koyanagi (1999, 19)は、流暢さは機械的ドリルのようにただ何度も文を言わせるだけで培われるものではなく、意味を処理する中で言語形式にも注意を向けなければ身につかないと言う。Wong and VanPatten (2003, 418)では、機械的なドリル練習は言語習得においてもコミュニケーション能力の発達においても必要ではないと述べている。小柳(2004, 68)では、意味のあるコンテクストで行う学習において、注意を向けて取り組んだ言語形式のみが中間言語に組み込まれる。練習がコンテクストから遊離した機械的な練習を指すなら、習得を完璧なものにはしないと一歩踏み込んだ言及をしている。Lee and Benati (2009) も伝統的な教授では明示的な文法説明を受けたあとに機械的なドリルを行うことが多いが、この練習は形式を覚えることが主目的で、現実社会を反映していないし、文脈もまったく考慮されていないと批判し、さらに、Benati (2009) では機械的な練習、ならびに、伝統的な練習は習得を促進しないと主張している。最近では、小柳・峰 (2015, 251)が「構造シラバスでも文型の導入に始まり、口ならし的な文型練習から、コンテクストをつけた意味ある練習、さらにもっと広げたコミュニカテイブな練習へ進むというような工夫は、どんな教科書を使っていてもなされていることが多いと思われる」と述べているが、そうであろうか。さらに、小柳・峰 (2015) では、「…DeKeyser (1998, 2001)は、規則ベースの宣言的知識から学習が始まるとしても、機械的ドリルのような意味や機能の部分が欠如していて、言語形式とのマッピングの機会が排除されている練習では、手続き化や自動化は起きないとしている。DeKeyserも、コンテクストにおける練習の重要性を強調しているのである」(p.53)、「教室で集中的に機械的なドリルを行った学習者は、ある時期に教室で習った 1 つの形態素ばかりを発話に用いる過剰使用が起きるが、授業が進むと前に習った形態素の使用はピタリと止むという」(p.147)、「機械的ドリル、つまりFonFSでは短期の学習効果はあるが、真の意味で中間言語文法知識を再構築するだけの習得は起こらないと考える」(p.251)、と機械的ドリルを批判的に見ている。

このようにいずれも機械的なドリル、練習の効果には大変懐疑的、否定的な言及となっている。それにもかかわらず、5 節で見たように、今なお約 35 年前の指摘と同じように、機

械的ドリル、練習が日本語の初級教科書に多数用いられているのはどうしてであろうか。一部は表1にも記して繰り返しになるが、短時間に教師が作成可能である、作るのも易しい、テンポよく多量の練習ができる、学習者がたくさん練習した気になる、誤用訂正が簡単、コーラスドリルをしやすくクラス全体に一体感が出る、答えが1つでCDなどで答えを録音できる、答えが1つしかないので独学者でも自己チェックできる、繰り返し練習するので記憶に残りやすいなど、教師にとっての利点も少なくない。しかし、これまでの習得研究の知見から判断すると、このような機械的ドリルの習得効果はあまり期待できないようだ。

7. 文の曖昧性と文脈の重要性

　機械的ドリルに欠けているのは何であろうか。意味が理解できていなくても答えが出せるという欠点は、前述したが、もっとも大きな欠点は、文脈、状況の情報が欠如していることではないか。ここでは、文脈の重要性について述べることにする。一般に曖昧な文と言われる文が、実は文脈を考えると曖昧ではなくなるような例を示そう。

例20　次は絶対に日本チームに勝ってほしい！

　例20の文は、話者が日本チームが次の試合で勝つことを望んでいるのか負けることを望んでいるのか曖昧である。文脈を付けてみよう。今日は日本と韓国の試合があり、韓国が2-1で勝った。こういう文脈があって「次は絶対に日本チームに勝ってほしい！」という発話であれば、意味は「日本チームが次の試合で勝つことを望んでいる」という意味になる。しかし、一方、今日は日本と韓国の試合があり、日本が2-1で勝った。そういう状況の下で「次は絶対に日本チームに勝ってほしい！」という発話なら、意味は「韓国チームが次の試合で勝つことを望んでいる」という意味になる。前者の意味では、日本チームの応援者、後者の意味では韓国チームの応援者の発言であることがわかる。つまり、この文の意味を正確に解釈、理解するには、発話に至るまでの文脈情報（今日の試合の勝敗やどういう話者かの情報）が必須ということになる。ほかの例を見てみよう。

例21　健二（兄）は玲奈（妹）を自分の部屋で勉強させた。

　再帰代名詞の「自分」ということばは、よく言語学の論考に出てくる。「自分」が誰を指

すかということが、言語理論上、非常に重要な意味を持つが、ここでは、「自分＝健二」の解釈と「自分＝玲奈」の解釈の二通りが可能であるという点に注目する。「自分」がどちらを指すかはこの文だけ見ても決定できない。そこで、この発話に至るまでの状況を考えてみよう。兄の健二は、明日試験があるが、将来の進路に影響するような大事な試験なので、今晩はしっかり準備したいと思っている。妹の玲奈は寂しがり屋で甘えん坊の女の子だ。玲奈が一人で勉強するのは寂しいから、兄の部屋で一緒に勉強してもいいかと健二に聞く。健二は、妹思いの優しい兄だから、「いいよ。」と言って、「健二は玲奈を自分の部屋で勉強させた」。こういう状況であれば、「自分＝健二」という解釈になる。一方、玲奈が一人で勉強するのは寂しいから、兄の部屋で一緒に勉強してもいいかと健二に聞くが、健二は明日とても大事な試験があってダメだと言って、「健二は玲奈を自分の部屋で勉強させた」。こういう状況であれば、「自分＝玲奈」という解釈になる。ここでも、「自分」が誰を指すかに関して、発話に至るまでの状況、文脈が決定的な力を持っているということがわかる。

　文だけを見ると曖昧な文だと思われる場合でも、十分な文脈情報が与えられれば、曖昧性がなくなる可能性も出てくる。意味の解釈、理解における文脈の重要性が認識できる例であろう。

8. 言語習得に繋がる練習とは？

　では、言語習得につながるドリル練習とは一体どのようなものであろうか。言語習得研究から推測すると、形式 (form) のみならず意味 (meaning)・機能 (function) が理解できていないと、また、その発話がなされるまでの文脈、状況の正しい把握もできていないと答えられないような練習ということになるであろう。より具体的に述べると、文脈を通して、意味が理解できないと答えられない、文脈・意味重視の練習ということになろう。

　言語習得でもっとも重要なのは言語インプットの意味理解であることは、Krashen (1979, 1982, 1985) を引き合いに出すまでもないことであろう。さらに、一歩進めていくと、ある状況、文脈における言語インプットの意味が理解できるということであろう。ある状況においてこういう意味をこういう形式で伝えているということ全体が学習者にとっては理解できないと言語習得にはつながりにくい。

I ）　状況がわかる(context)
II）　意味・機能がわかる(meaning, function)

Ⅲ）形式がわかる (form)

　この 3 つの要素が言語習得には重要であると言えよう。

9.　よりよい練習を求めて

　ここでは、言語習得の 3 要素の状況、意味・機能、形式がわからないとできないような練習問題のサンプルを紹介する。サンプルの出典は、筆者も関係している加藤他 (2011) からである。

練習問題の例 1：「疑問詞も〜ません」の練習問題 (p.11)

　　マリ：トムさん、中国旅行はどうでしたか。どこへ行きましたか。

　　トム：実は…風邪をひきました。それで、ずっとホテルにいました。

　　マリ：えっ！　中国の友達に会いましたか。

　　トム：いいえ。部屋で一人で休みました…。

　　マリ：そうですか…。じゃあ、もちろんおみやげも…。

　　トム：ごめんなさい。

　　マリ：いいえ、いいですよ！　本当に残念でしたね。

　　① 観光地：トムさんは［　　　　　　　　　　　　　　　　　　　　　］。

　　② 友達：トムさんは［　　　　　　　　　　　　　　　　　　　　　　］。

　　③ おみやげ：トムさんは［　　　　　　　　　　　　　　　　　　　　］。

練習問題の例 2：「〜ませんか、〜ましょう」の練習問題 (p.13)

　　トム：佐藤さん、今度、「市民センター」でクラシックのコンサートがあ

　　　　　りますよ。一緒に［①　　　　　　　　　　　　　］。

　　佐藤：いいですね。［②　　　　　　　　　　　　　　］。チケットは？

　　トム：コンサートの日に買います。

　　佐藤：でも、きっと人が多いですよ。

　　　　　トムさん、チケットを［③　　　　　　　　　　　　　］。

坂本正

　　　　ちょっと心配です。

　　トム：そうですか。じゃあ、予約の電話 ［④　　　　　　　　　　　　　　］。

練習問題の例 3：「〜とき」の練習問題(pp.74-75)

1.　A：昨日の晩、電話したんですが…。

　　B：え?!　…あ、昨日、シャワーを ［　　　　　　　　　　　　　　］、部屋
　　　の方から何か音が聞こえました。でも、電話の音だと思わなくて…。
　　　すみません。

2.　佐藤：国から日本へ ［　　　　　　　　　　　　　　　　］、寂しくなかったですか。

　　トム：そうですね。国の空港に家族や友人が見送りに来たんですが、やはりみんなとの
　　　　　別れは寂しかったですね。でも、日本の空港に ［　　　　　　　］、到着ロビー
　　　　　で佐藤さんに会って、安心しました。

　　佐藤：それはよかったですね。

3.　A：はい、どうぞ。これはこの図書館の会員カードです。

　　B：はい、どうもありがとうございます。

　　A：これからは、本を ［　　　　　　　　　　　　　］、受付でこれを見せてくださいね。

練習問題の例 4：「〜ている/〜ていない/〜ていた/〜ていなかった」の練習問題 (pp.116-117)

　　夫：ただいま。

　　妻：おかえり。遅かったね。土曜日だから、お客さんが大勢いて、スーパー、
　　　［①　　　　　　　　　　　　　　　　］の？

　　夫：ううん、スーパー、今日は ［②　　　　　　　　　　　　　　　］よ。

　　妻：え？あのスーパー、定休日は月曜日だと思うけど…。

　　夫：うん。今日は、休みの日にいつも店の前に出る「休業」のお知らせが、
　　　［③　　　　　　　　　　　］んだ。

　　妻：へえ、そうなんだ。じゃあ、その卵、どこで買ってきたの？

　　夫：コンビニ。毎日 24 時間 ［④　　　　　　　　　　］からね。
　　　はい、卵。

妻：ありがとう。スーパーが休みだから、コンビニはお客さんが多かったんじゃない？

夫：うん。レジの前に客が７〜８人［⑤　　　　　　　　　　　　　］よ。

妻：そう。お疲れさま。…あっ、卵が［⑥　　　　　　　　　　　　］！

夫：えっ、本当？　さっきドアにちょっとぶつけたからかな。ごめ〜ん！

　　…………………………

夫：そういえば、さっきコンビニで、山本に会ったよ。

妻：え？　山本さんって…？

夫：覚えてない？　俺の会社の同期だよ。君は忘年会とかで［⑦　　　　　］んだけど…。

妻：ああ、前にあなたと中国に出張に［⑧　　　　　　　　　］人ね！

　　うちにも一度遊びに［⑨　　　　　　　　　　　　　　］よね。

　以上、すべて初級文型を練習するために作成した練習問題であるが、ほとんどの初級教科書に出ているような、たとえ意味が理解できなくても機械的に答えられるような練習問題は１つもない。文脈をフルに活用し、文脈の流れから意味を推測し、適切な答えを考え出す練習問題になっている。また、答えは１つではなく、複数ある場合も少なくない。機械的な練習の場合は、答えは１つに限定されるが、このような文脈を活用した練習問題では、複数の答えが可能であり、また、逆にいろいろな答えが出たほうがクラスも活発になろう。言語習得研究を言語教育に活かそうとするなら、このような練習問題が意味と形式のマッピングを促進し、より言語習得を促進するのではないだろうか。機械的なドリルはまったく言語習得に貢献しないと言われることも多いが、前述したように利点も少なくない。しかし、言語習得上、もっとも重要な意味の理解を無視しての形式的な正確さだけを求める練習では、不十分であることは明白であろう。さらに、意味理解の大きなヒントになる文脈情報の存在も忘れてはならない。

10.　さいごに

　多くの初級教科書に使用されている機械的なドリル、練習問題の弱点を指摘し、言語習得を促進するような練習問題とはどのような問題かを模索し、サンプル問題を提示した。発話の意味理解を助ける状況の下で言語インプットの意味が正しく解釈、理解でき、さらにその意味を表すのに必要な言語形式が使える力を養う練習問題がこれから作られる日本語の初級教科書の練習問題には求められよう。

坂本正

参考文献

加藤文・小柏有香・早野香代・坂大恭子 (共著)、坂本正 (監修) (2011).『どんどん使える日本語文型トレーニング 初級』凡人社.

小柳かおる(2004).『日本語教師のための新しい言語習得概論』スリーエーネットワーク.

小柳かおる・峰布由紀(2015).『認知的アプローチから見た第二言語習得　日本語の文法習得と教室指導の効果』くろしお出版.

坂本正(2014).「言語教育におけるドリルをめぐって　―第二言語習得理論をもとにして―」『南山大学日本文化学科論集』14,15-36. 南山大学日本文化学科.

當作靖彦(1986).「初級教科書のドリルの問題点」『日本語教育』6, 191-204.

Anderson, J. (1983). *The architecture of cognition*. Cambridge, Mass: Harvard University Press.

Anderson, J. (1985). *Cognitive psychology and its implications* (2nd ed.). New York:Freeman.

Benati, A. G. (2009). *Japanese language teaching: A communicative approach*. UK, Continuum Intl Pub Group.

Bialystok, R. (1978). A theoretical model of second language learning. *Language Learning 28*, 69-84.

Carroll, J. B. (1971) Current issues in psycholinguistics and second language teaching," *TESOL Quarterly,* 5(2), 101-114.

DeKeyser, R. M. (1998) Beyond focus on form: Cognitive perspective on learning and practicing second language grammar. In C. Doughty, & J. Williams (Eds.), *Focus on form in classroom second language acquisition,* 42-63. New York: Cambridge University Press.

DeKeyser, R. M. (2001) Automaticity and automatization. In P. Robinson (Ed.), *Cognition and second language instruction,* 125-151. Cambridge, UK: Cambridge University Press.

Ellis, R. (2001). Introduction: Investigation form-focused instruction. *Language Learning 51*(Supplement 1), 1- 46.

Gascoigne, C., Jourdain, S., & Wong, W. (2009). Reflections on grammar instruction in the preparation of TAs and part-time instructors. *NECTFL Review, 54,* 8-21.

Gass, S. (1997). *Input, interaction, and the second language learner*. Mahwah, NJ: Erlbaum.

Jorden E. H., & Chaplin H. I. (1962). *Beginning Japanese*. Yale University Press.

Kameen, P. T. (1978). A mechanical, meaningful, and communicative framework for ESL sentence combining exercises. *TESOL Quarterly, 12* (4), 395-401.

Khodamoradi, A., & Khaki, N. (2012). The effect of mechanical and meaningful drills on the acquisition of comparative and superlative adjectives. *International Journal of Linguistics, 4* (4), 264-274.

Koyanagi, K. (1999). Deferential effects of focus on form vs. focus on forms. In Fujimura, T., Kato, Y., & Smith, R. (Eds.), *Proceedings of the 10th conference on second language research in Japan*, 1-31. International University in Japan.

Krashen, S. (1979). The input hypothesis. In J. Alatis (Ed.), *Current issues in bilingual education*, 168-180. Washington, D.C.: Georgetown University Press.

Krashen, S. (1982). *Principle and practice in second language acquisition*. Oxford: Pergamon Press.

Krashen, S. (1985). *The input hypothesis: issues and implications*. London: Longman.

Lamendella, J. T. (1979). The neurofunctional basis of pattern practice. *TESOL Quarterly, 13* (1), 5-19.

Lee, J. F., & Benati, A. G. (2009). *Research and perspectives on processing instruction*. Mouton De Gruyter.

Lee, J. F., & VanPatten, B. (2003). *Making communicative language teaching happen*. New York: McGraw-Hill.

Littlewood, W. (1981). *Communicative language teaching*. New York: Cambridge University Press.

Long, M. H. (1988). Instructed interlanguage development. In L. Beebe (Ed.), *Issues in second language acquisition: Multiple perspectives*, 335-373. Rowley, MA: Newbury House.

Long, M. H. (1991). Focus on form: A design feature in language teaching methodology. In de Bot, K. Coste, D. Kramsch, C., & Ginsberg, R.(Eds.), *Foreign language research in crosscultural perspective*, 39-52. Amsterdam: John Benjamins.

Moulton, W. (1961). Linguistics and language teaching in the United States 1940-1960. In C. Mohrmann, A. Sommerfelt & J. Whatmough (Eds.), *Linguistics: Trends in European and American linguistics, 1930-1960*. Utrecht, Spectrum Publishers.

Paulston, C. B. (1971). The sequencing of structural pattern drills. *TESOL Quarterly, 5* (3), 197-208.

Paulston, C. B., & Brouder, M. N. (1976). *Teaching English as a second language: Techniques and procedures*. Cambridge, MA: Winthrop.

Polio, C. (2007). The history of input enhancement: Defining an evolving concept. In C. Gascoigne (Ed.), *Assessing the impact of input enhancement in second language acquisition: Evolution in theory, research and practice*, 1-18. Stillwater, OK: New Forums Press.

Rivers, Wilga M. (1968). *Teaching foreign-language skills* (2nd Edition). Chicago: The University of Chicago Press.

VanPatten, B. (1996). *Input processing and grammar instruction*. NY: Ablex.

VanPatten, B. (2002). Processing instruction: An update. *Language Learning, 52*(4), 755-803.

VanPatten, B. (2003). *From input to output: A teacher's guide to second language acquisition*. New York: McGraw-Hill.

VanPatten, B. (2004). *Processing instruction: Theory, research, and commentary*. Mahwah, NJ: Erlbaum.

VanPatten, B., & Cadierno, T. (1993). Explicit instruction and input processing. *Studies in Second Language Acquisition, 15* (2), 225-43.

VanPatten, B., & Lee, J. F. (1995). *Making communicative language teaching happen* (Vol.1). Blacklick, OH McGraw-Hill.

Wong, W. (2009). Rethinking a focus on grammar: From drills to processing instruction -Data from the French subjunctive. In J. Watzinger-Tharp & S. Katz (Eds.), *Conceptions of L2 grammar: Theoretical approaches and their application in the L2 classroom*, 72-92. AAUSC Volume 2008. Boston: Heinle Cengage Learning.

Wong, W., & VanPatten, B. (2003). The evidence is IN: Drills are OUT. *Foreign Language Annals, 36* (3), 403-423.

Young, J., & Nakajima-Okano, K. (1963). *Learn Japanese: Pattern approach*. University College, University of Maryland.

参考にした主な初級日本語の教科書

『みんなの日本語』(スリーエーネットワーク編著、スリーエーネットワーク)

『新日本語の基礎』(海外技術者研修協会編、スリーエーネットワーク)

『Situational Functional Japanese』(筑波ランゲージグループ著、凡人社)

『げんき[第2版]』(坂野永理・池田庸子・大野裕・品川恭子・渡嘉敷恭子著、ジャパンタイムズ)

『An Introduction to Modern Japanese』(水谷修・水谷信子著、ジャパンタイムズ)

『日本語初歩』(鈴木忍・川瀬生郎著、国際交流基金日本語国際センター編、凡人社)

『Japanese: The Spoken Language』(Eleanor H. Jorden・野田真理著、Yale University Press)

『大地』(山崎佳子・石井怜子・佐々木薫・高橋美和子・町田恵子著、スリーエーネットワーク)

『J. Bridge for Beginners』(小山悟著、凡人社)

『できる日本語』(嶋田和子監修、アルク)

『なかま』(牧野成一・畑佐一味・畑佐由紀子著、Houghton Mifflin Company)

李在鎬・伊東祐郎・鎌田修・坂本正・嶋田和子・西川寛之・野山広・六川雅彦・由井紀久子

日本語口頭能力テスト「JOPT」開発と予備調査

李在鎬 (早稲田大学)

伊東祐郎 (国際教養大学)

鎌田修 (南山大学)

坂本正 (名古屋外国語大学)

嶋田和子 (アクラス日本語教育研究所)

西川寛之 (明海大学)

野山広 (国立国語研究所)

六川雅彦 (南山大学)

由井紀久子 (京都外国語大学)

要旨

　外国語教育における口頭能力育成の重要性は言うまでもないことであるが、その測定・評価の方法となると信頼性と妥当性の確保、時間的制約等の理由で一般への共有化は非常に遅れている。口頭能力試験として Oral Proficiency Interview (以下、OPI) が広く知られているが、実施するには資格認定など複雑な手続きがあり、普及のためには課題が残る。以上の背景を踏まえ、本研究グループでは科学研究費補助金基盤研究 (A) の支援を受けて、2013 年より、対面式テストの利点にテクノロジーを援用し、一般への共有が可能な新しい日本語口頭能力テスト「Japanese Oral Proficiency Test (以下、JOPT)」の開発を行っている。

　本稿では 2013 年度〜 2016 年度において展開してきた JOPT 第 1 期の成果として、次の 4 点を報告する。1) JOPT はアカデミック (A) , ビジネス (B) , コミュニティー (C) の 3 領域に分かれたテストであること。2) 3 つのレベル (ステップ 1、ステップ 2、ステップ 3) から構成されていること。3) タブレットを使用し、かつ、15 分という短時間で行っていること。4) 短時間の研修 (試験のコンセプト・構成・内容およびテスト実施のためのタブレットの説明など) を受けるだけで実施できるため、特別な試験官養成プログラムは必要ないことである。

キーワード：口頭能力、テスト開発、対面式テスト、タブレットシステム、相関分析

Development and Pilot Study of "JOPT"
(Japanese Oral Proficiency Test)

LEE Jaeho (Waseda University)

ITO Sukero (Akita International University)

KAMADA Osamu (Nanzan University)

SAKAMOTO Tadashi (Nagoya University of Foreign Studies)

SHIMADA Kazuko (Acras Japanese Language Education Institute)

NISHIKAWA Hiroaki (Meikai University)

NOYAMA Hiroshi (National Institute for Japanese Language and Linguistics)

MUTSUKAWA Masahiko (Nanzan University)

YUI Kikuko (Kyoto University of Foreign Studies)

Abstract

The importance of nourishing oral proficiency in foreign language education is indisputable, however, when faced with the approach to the measurement and rating, general sharing is far behind in consideration of ensuring reliability and applicability and the time constraint. The Oral Proficiency Interview (hereinafter referred to as "OPI") as an oral proficiency test is widely known, but the implementation has a complicated procedure including the recognition of qualification and there are still issues facing its promotion. In this context, our research group, with the support of Grants-in-Aid for Scientific Research (A), has been employing technology to the advantage of interview tests from 2013 and carrying out developments in a sharable and new Japanese Oral Proficiency Test (hereinafter referred to as "JOPT").

As results of the first stage of JOPT which ran from FY 2013 to FY 2016, this article reports the following 4 points:

1) JOPT is a test divided into the 3 areas of Academic (A), Business (B), and Community (C).

2) The test is composed of 3 levels (Step 1, Step 2, and Step 3).

3) The test uses a tablet and is carried out in a short amount of time (15 minutes).

李在鎬・伊東祐郎・鎌田修・坂本正・嶋田和子・西川寛之・野山広・六川雅彦・由井紀久子

4) Because it is enforceable with just receiving a brief training (including a description of the concept, composition, and contents of the test and the tablet to administer the test), a special examiner development program is not needed.

Keywords: Oral Proficiency, Test development, Face-to-face Test, Tablet System, Correlation Analysis

1.　研究背景

　外国語教育における会話能力育成[1]の重要性は言うまでもないことであるが、その測定・評価の方法となると信頼性と妥当性の確保、時間的制約等の理由で一般への共有化は非常に遅れている。こうした遅れを象徴するものとして「日本語能力試験」の例が挙げられる。大隅・谷内 (2015, 36) によれば「1984 年の開始から 17 年後、2001 年には有識者による文部科学省への提言「日本語教育のための試験の改善について」がなされた」と記されており、これをきっかけに改定作業がなされ、2010 年に新試験がスタートしたとされている。この「日本語教育のための試験の改善について」は文部科学省のウェブサイト[2]で公開されており、それによれば、実践的能力を測定する方法として、口頭能力試験や記述試験の開設などを挙げている。しかし、結論的に言えば、発足以来 30 数年となる日本語能力試験についても、未だ、言語知識 (文字・語彙・文法)、読解、聴解の測定に限られた状態である (大隅他, 2009)。このような状況の中、ACTFL (The American Council on the Teaching of Foreign Languages：米国外国語教育協会) が開発したOPI (Oral Proficiency Interview) はその妥当性、また、教育実践への応用性の高さから、日本語教育界においても広く知られているが、その実施にはテスターの資格取得・更新などが求められるなどして国内外の日本語教育現場において十分に実用化されているとは言えないのではないだろうか。このように喫緊の課題である口頭能力テストの開発のため、本研究グループは 2013 年より科学研究費補助金基盤研究 (A) による支援を受け、JOPT[3] (Japanese Oral Proficiency Test) と称するテストを開発している。

　JOPTは、口頭能力が人と人との何らかの相互行為を基にしたものであることに鑑み、対面式テストを基本方針とし、開発を行ってきた。また、より進んだテクノロジーを最大限に活用することで実用性、共有性、さらに信頼性を確保できる口頭能力測定テストのモデル開発を目指してきた。以下では、まず、JOPTのグランドデザインと構成概念を述べた後、JOPTの基になっている言語能力評価観について述べる。そして、テスト項目の作成と実施支援システムについて述べた後、2016 年度に行った予備調査の分析結果についても触れる。

---

1)「口頭能力」と「会話能力」を厳密に使い分けるのは困難であるが、本稿では会話参与者の多少に基づき、前者は一方向的な、後者は多方向の交わりを前提としたものとする。
2)http://www.mext.go.jp/b_menu/hakusho/nc/t20010330005/t20010330005.html (2018.11.30 閲覧)
3)http://jopt.jp/　(2019.1.25 閲覧)

李在鎬・伊東祐郎・鎌田修・坂本正・嶋田和子・西川寛之・野山広・六川雅彦・由井紀久子

2. JOPT の概要

2.1 研究課題とグランドデザイン

　本研究グループでは日本語教育にとって喫緊の課題である口頭能力テストの完成・公開を最終目標に、以下の課題に取り組むことにした。

(1) 国内外の教室環境やビジネス・地域社会といった多様な学習背景・日本語使用環境を考慮した口頭能力の測定・評価基準を作成する。

(2) 非母語話者教師やボランティア教師を含めた多くのテスターによって実施可能な口頭能力テストを作成する。そしてその普及のためにテスター養成と実施支援のシステム化を行う。

(3) JOPTに関わる言語的・非言語的要素をデータ化したデータバンクと会話コーパスを構築し，今後の口頭能力テストの開発に理論的貢献を行う。

　まず、(1) の「多様な学習背景」の存在を踏まえ、「アカデミック」「ビジネス」「コミュニティ」という３つの日本語使用領域を設定した。そして、それぞれにおける口頭能力を３つのステップで評価するテストとしてデザインした。次に、(2) の実現のために、a) 質問項目を固定すること、b) テスト時間は 15 分程度にすること、c) イラストやグラフなどの視覚的プロンプトを用いること、d)専門的な訓練を受けなくてもテストが実施できるテスターマニュアルの作成やより進んだICT技術を活用した環境構築を行うことを決めた。最後に、(3) のためにコーパス開発にも力を入れることになった。

2.2 JOPT の特徴 1：3 つの領域

　JOPTでは、アカデミック、ビジネス、コミュニティの３つの日本語使用場面を想定している。それぞれの領域における想定受験者と言語能力の構成概念は以下のとおりである。

> **アカデミック (Academic: 以下A)**：主として高校生以上の学生を対象に、アカデミックな世界で必要とされる機能的言語運用能力を測る。この領域の機能的言語運用能力とは、グラフなどを読み解いた上で、事実の説明、解釈、評価を述べ、自然法則や学術的な規範・規則等に基づく根拠ある主張や議論ができる能力のことである。
> **ビジネス (Business: 以下B)**：主としてビジネスパーソン、及び、今後ビジネスの世界に入ろうとする人材を対象に、その世界で必要とされる機能的言語運用能力を測る。この領域の機能的言語運用能力とは、提示されたイラストから場面や状況を理解し、職業人として社会的・文化的に相応しい日本語で表現ができ、さらに、商習慣を踏まえ、現在あるいは将来の展開を予測し、意見を述べたり提案したりできる能力のことである。
> **コミュニティ (Community: 以下C)**：主として定住者を対象に、コミュニティ（地域社会）の生活場面における機能的言語運用能力を測る。この領域の機能的言語運用能力とは、身近な生活場面のイラストを見ながら、文化背景や状況を理解した上で、状況や事実関係、経緯などについてそれに相応しい日本語で描写・説明でき、さらに、テーマに即した意見述べができる能力である。生活場面において人間関係に配慮した相応しい応答ができる能力も含む。

　JOPTでは、日本語口頭表現能力を話し言葉による「機能的言語運用能力」と捉え、それらにレベルの違いが存在すると考える。こうした前提の背景には鎌田・嶋田・迫田 (2008) が述べているプロフィシェンシーの概念があり、日本語を使用して何ができるか、あるいは、できないかということを問う。そして、「機能的言語運用能力」には、「ステップ1」から「ステップ3」に至る段階性が存在すると考えている。ステップ1からステップ3の段階性は次節で詳述する。また、A、B、Cの設計方針については、4.1 節で詳述する。

2.3　JOPT の特徴2：3つのステップ

　JOPTはA、B、Cの3領域に対して、3つのステップでテストを行っている。それぞれのステップにおける試験内容は、表1のようにまとめることができる。

李在鎬・伊東祐郎・鎌田修・坂本正・嶋田和子・西川寛之・野山広・六川雅彦・由井紀久子

＜表1＞　各領域の測定対象能力および試験内容

領域	ステップ1	ステップ24)	ステップ3
A領域 （アカデミック）	【自己描写】 各領域における自己の簡単な描写（8問～10問）	【事実説明】 自然法則や物のしくみ等に関する説明（量的データなどをもとにした事実や仕組みの説明および発表）	【意見述べ】 （事実に対する評価・分析ならびに根拠を示した意見述べ）
B領域 （ビジネス）		【事実説明】 やり取り（様々なビジネス場面における商習慣を踏まえた説明ならびにやり取り）	【意見述べ】 （将来の展開を予測・判断しての意見述べや提案）
C領域 （コミュニティ）		【事実説明・場面描写】 やり取り（生活に関連する手続きなどの説明ならびにやり取り）	【意見述べ】 根拠述べ、人間関係に配慮した適切な言語による課題遂行（形式：ロールプレイ）

　まず、ステップ1の形式は3領域に共通であり、「1問1答式の質問」になっている。各領域に特化した質問で構成されるステップ1を進めながら、「基本的な質問には対応できる」と判断された場合には8問でストップして、ステップ2に移行する5)。次に、ステップ2は、テスト課題をもとに事実説明や場面描写に関する口頭能力を測定する。最後に、ステップ3は、より主体的な意見述べのタスクに関する口頭能力を測定する。なお、ステップ1からステップ3に進むにつれ、テスト項目の難易度が上がるように設計してある。したがって、OPIのレベルチェック（Level Check）や突き上げ（Probing）とは異なる。

2.4　JOPTの特徴3：質問固定型テスト

　JOPTは2.1節の研究課題で問題提起したとおり、共有性と実用性を重視し、専門的なトレーニングを受けなくてもテストが実施でき、15分という短い時間でテストを行うように設計してある。そのため、OPIの「突き上げ」のようにテスターの力量が求められるような方法は極力入れない形でテスト設計をする必要があった（突き上げの詳細については

---

4) 本プロジェクトの第2期（2017年度～2021年度）においては若干の内容変更を行っている。詳細は別稿にて報告する予定である。

5) ステップ1でテスターの質問に対して答えられなかった場合には、ステップ2に進む意味がないと判断されるため、10問でテストを終了する。

ACTFL, 1999 参照)。こうした背景から、JOPTでは、A、B、Cの３つのステップで行うべき質問を固定しており、受験者の回答によって、質問を変えることはしない。

3. JOPT の設計 1：言語能力評価

　JOPTは話しことばによる口頭能力の測定を目的としている。この話しことばによる口頭能力は、挨拶から始まって、家族や友人との会話、また、職場や学校などでのやり取りなど、多様かつ広範囲に及ぶ。さらに、学習者に求められる口頭能力は話すトピックやテーマによっても変化する。例えば、初級話者の場合、単語レベルから文レベルの簡単な表現で終始することが多いが、レベルが上がるにつれて、文レベルから、段落レベル、複段落レベルと発話量も増えていく。また、文構造においても単文から複文へとより複雑になっていく。

　以上の事実を踏まえた場合、口頭能力は、いつ、だれに、何を伝えるかによって、能力も多面的に考察する必要があり、能力を構成している概念も複層的に捉えなければならない。しかしながら、JOPTは日本語教育の専門家のみならず、一般の日本語教育に関係する者(ボランティアで教育に関わる人、国際交流スタッフなど)や一定能力のある非母語話者でも実施と評価が容易にできる共有性の高いテストを目指しているため、可能な限りわかりやすい評価方法を考える必要がある。以下では、JOPTが測定しようとしている口頭能力に関する枠組み設計において参考にしたCanale & Swain (1980) とBachman (1997) について述べたあと、JOPTの観点別評価項目について述べる。

3.1　コミュニケーション能力としての口頭能力

　コミュニケーションの能力を特定化した理論的枠組みとしてCanale & Swain (1980) とBachman (1997) が広く知られている。これらの研究が明らかにした知見を確認した上で、JOPTにおけるコミュニケーション能力としての口頭能力について考えていく。

　まず、Canale & Swain (1980) は、コミュニカティブな言語能力モデルを以下の４つの能力として捉えている。

(1)　文法能力 (grammatical competence)：語彙・形態素・構文・意味などの知識

(2)　社会言語学的能力 (sociolinguistic competence)：さまざまな社会言語的状況で適切に対応できる言語表現能力、文脈における言語機能・文化特性理解力

(3)　談話能力 (discoursal competence)：談話・言語形式面でのまとまり具合 (結束性) と一

　　貫性を維持できる能力

(4)　ストラテジー能力 (strategic competence)：コミュニケーションを円滑に展開できる言語的・非言語的問題解決能力

　一方、Bachman (1997) は、Canale & Swain (1980) のモデルをさらに発展させ、コミュニケーション能力 (communicative language ability) は、言語能力 (language competence)、方略的能力 (strategic competence)、心理生理的機能 (psychophysiological function) から構成されるとしている。図1で、言語能力に関する下位能力を示す。

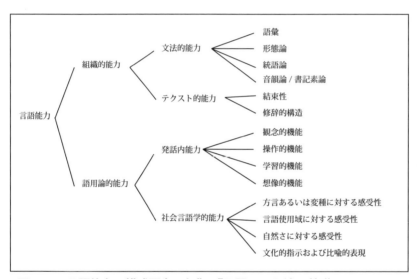

<図1>　　言語能力の構成要素 (出典：『言語テスト法の基礎』 p.99)

　図1によれば、言語能力は2つのタイプの能力から構成されていると考えられる。1つ目の組織的能力 (organizational competence) には、文法的能力 (grammatical competence：語彙・形態・統語・音韻に関する知識) とテクスト的能力 (textual competence：2つ以上の文をつないで一連の文章を構成する方法と修辞的構成規則に関する知識) が規定されている。2つ目の語用論的能力 (pragmatic competence) には、発語内能力 (illocutionary competence：依頼・同意等の表現意図に関する知識) と社会言語学的能力 (sociolinguistic competence：文化的関連を理解する力・感受性) が規定されている。なお、前述のように、Bachmanは、コミュニケーション能力 (communicative language ability) の枠組みの中に方略的能力と心理生理的機能を別の能力として含める。方略的能力は、Canale & Swain

(1980) のストラテジー能力とほぼ同義で、コミュニケーションの目標達成のための方略に関する知識とスキル、または実行能力とする。具体的には方略的能力は日本語使用者の日本語によるコミュニケーション能力が不十分な場合に補助的機能や回避的機能を提供するものである。一方、心理生理的機能は、言語能力が実行に移される聴覚的、視覚的経路、および受容的、産出的様式からの不可欠な機能としている。

3.2　口頭能力の評価

　JOPTの測定結果は、何らかの数値やレベル等で提示する必要がある。こうしたニーズに対して、何度か予備調査を行い、発話標本の評価項目や採点基準を検討した結果、次の2つの方法を取り入れることにした。1つは包括的評価 (holistic/global assessment) で、もう1つは分析的評価 (analytic/componential assessment) である (近藤, 2012)。包括的評価は、課題がどの程度達成されたかなど、機能的言語運用能力の達成の度合いに焦点を当てた量的評価である。一方、分析的評価は、口頭能力を構成する要素を評価対象項目として、パフォーマンスの質に注目し、それぞれの項目に発話標本を照らし合わせて評価するものである。具体的には発音はどうであったか。語彙の使用は適切であったのか。文法的な誤りはどの程度あったのかなどを評価する。なお、評価の対象についていえば、JOPTでは、発話内容とその機能、そして言語的な側面を対象に評価する。また、評価結果は、評価指標によってフィードバックをすることが可能であり、受験者は自らの口頭能力の長所や短所など具体的に把握することができるよう設計してある。

　分析的評価における評価対象項目は、3.1節で述べたBachmanの言語能力のモデルを参考にしている。これは2節で示したJOPTのグランドデザインおよび構成概念と密接にかかわることになるので、JOPTの目的と評価項目に整合性をもたせられるよう設計してある。

＜表2＞ JOPT の観点別評価表[6]

	課題達成度	語彙能力	文法能力	談話構成能力	発音	流暢さ
5	すべての課題について十分に対応できる。	語彙が豊富で、十分に言いたいことが表現できている。	文法上の誤りが見られない。	非常に一貫性のある構成。	自然な発音やイントネーションである。	全く言葉に詰まることなく、自然な会話の流れである。
4	すべての課題について一応対応できる。(75%程度)	課題によって語彙の豊かさが異なる。	文法上の誤りが時々ある。	一貫性がある構成。	やや不自然な発音がある。	たまに言葉に詰まるが、自然な会話の流れである。
3	限られた課題や質問について対応できる。(50%程度)	語彙が限られ、すべての課題に対応できるとは言えない。	文法上の誤りが目立つ。	ある程度一貫性がある構成。	不明瞭な発音がある。	時々言葉がとぎれ、会話の流れが不自然である。
2	達成できる課題は限られ、応答は不十分である。(25%程度)	語彙が非常に限られ、基本的な語彙しか使えない。	文法上の誤りが多い。	あまり一貫性のない構成。	不明瞭な発音が多い。	言葉が頻繁にとぎれ、会話が流れない。
1	課題が達成できない。	基本的な語彙を使うのも難しい。	文法上の誤りが非常に多い。	全く一貫性のない構成。	不明瞭な発音が非常に多い。	全く会話が流れない。

　表2では、JOPTの評価項目である6つの観点に対して、5段階の能力を区分して記述している。日本語使用者の能力を何段階（レベル）に分割して評価するかは結果のフィードバックと密接にかかわることになる。日本語能力試験の場合は、N5からN1までの5段階であり、ヨーロッパ言語共通参照枠組みは、A1からC2までの6段階になっている。ACTFLのOPIの評価尺度は「初級（Novice）・中級（Intermediate）・上級（Advanced）・超級（Superior）」の4段階であり、さらにSuperior以外の3レベルはLow・Mid・Highと細分化されている。実施時間が15分であるJOPTにとって、受験者へのフィードバックを考慮すると発話標本の評定には5段階が適当であるとの結論に至った。5段階レベルによって、各レベルの能力のイメージが把握しやすく、評価を効率的に行うことが可能となる。

---

6) 表2の評価項目はBachman (1997) の言語能力モデルと一対一で対応するものではない。

　表2に示す観点別評価表については、誰がどういう形で採点をするのかを決める必要があるが、現時点では試験官がテスト終了後に採点を行うことを想定している。また、6つの指標の合計値をもとに、4つの異なる能力値が測定できることが明らかになっている (李他, 2018)。4つのレベルに対して、何ができるかについての能力記述については、CEFRやOPIやJLPTなどの関連テストの事例なども参考に今後、検討していく予定である。また、3つのステップの中でどの程度の達成度が期待されるかについては、明確な基準はないが、CEFRの考え方をもとに不完全な言語能力についても積極的に認めるべきだというのが基本的な立場である。

4.　JOPT の設計 2 ： テスト項目の構成と内容

　本節ではJOPTの特徴1と2である「3領域に分かれた、3つのステップから構成された試験である」という点を取り上げ、それぞれのステップでは何を、どのように測ろうとしているかについて述べる。

4.1　領域別口頭能力テストにすることの意味

　日本語の口頭能力テストはACTFLによるOPIや (株) アルク開発によるJSST (Japanese Standard Speaking Test) などがすでに先行事例として存在する。これらのテストとJOPTの違いは、表3のようにまとめられる。

<表3>　OPI と JSST と JOPT の比較

	JOPT	OPI	JSST
実施形式	1対1 (タブレット)	・1対1の対面インタビュー ・電話 ・コンピューター (OPIc)	電話
質問形式	・質問固定式 ・視覚プロンプト使用	・自由 ・視覚プロンプト使用せず	・質問固定式 ・視覚プロンプト使用せず
時間	15分	30分以内	1問回答時間 (45秒、60秒)
領域別	アカデミック、ビジネス、コミュニティ	設定なし	設定なし
ステップ	ステップ1、2、3	なし (質問をスパイラルに展開)	問題9〜10　上級〜超級

評価	観点別評価及び課題達成評価　各5段階評定	10段階 初級・中級・上級＝各3、超級	10段階 初級3、中級5、上級2
実施者	基本的に誰でも実施できる (研修会実施)	訓練を受けた試験官	訓練を受けた試験官

　ACTFLによって開発されたOPI、電話で日本語能力を測定するJSSTなどいくつか実施されているが、1つの会話試験において複数の領域に分けて実施するという試験はいまだ開発されていない。JOPTは15分という限られた時間で行う試験であることから、いわゆる一本化した一般的な試験ではなく、場面・話題を絞り込んだ領域別口頭能力試験とした。

　また、現在、学習者が多様化し、日本国内において256万人[7]を超える定住外国人が暮らし、海外で学ぶ日本語学習者が370万人[8]近くいるという状況において、いわゆる一本化した一般的な試験ではなく、受験者が領域を選択することができる会話試験がより望ましいと考えた。そこで、3つの領域に分けて実施することとした。このような設計方針に関しては、6節で述べる予備調査の実施を通して、調査に協力してくれた日本語学校や大学で学ぶ留学生からは次のような生の声を聞くことができた。

● A領域は自分達がやっていること、慣れていることなのであまり難しさを感じない。Cは生活場面なので難しい。でも、この試験を受けたことで、もっと生活場面の日本語に注目するようになった。
● B領域は留学生の『今の自分』には難しいが、やりがいがある。将来日本の会社で働きたいと思っているので、ぜひまた挑戦したい。

　調査協力者の声からわかることとして、受験者によってA、B、Cの領域に対する慣れの度合いや関心度が異なるため、潜在的な難易度も異なると考える。したがって、受験者の習得段階、必要性に応じて領域別に試験を有機的に活用することが重要であると考えている。

　JOPTのA～Cはそれ自体が広範囲に渡るものであるが、受験者のニーズが異なる点を重視し、このように3つの領域に分けている。なお、一人の受験者がA、B、Cをすべて受験することは想定しておらず、受験者の言語使用領域や状況、また必要性に応じてJOPTを受

---

7) http://www.moj.go.jp/nyuukokukanri/kouhou/nyuukokukanri04_00073.html (2019.1.22 参照)
8) https://www.jpf.go.jp/j/project/japanese/survey/result/survey15.html(2019.1.22 参照)

けてもらうことが理想であると考えている。なお、基本的に受験者は領域を選択し受験することになるが、他の領域の受験も希望する場合には受験可能である。

　JOPTをA、B、Cに分けている狙いとしては、いわゆる機能的言語能力を細分化することを目指すというものがある。いわゆるアカデミックな世界で研究活動を展開するための口頭能力とビジネスの世界で商業活動を展開するための口頭能力、さらには、コミュニティの中で交流するための口頭能力は、異なる項目でもって測定するべきだという考えに基づくものであり、受験者は、A、B、Cのうちの1つを選択して、受験することを前提にしている。ただ、いわゆる汎用的な日本語の口頭能力を測る必要性があることも、開発グループ内では共有されており、今期の開発が終わった時点で改めて検討する予定である。

4.2　視覚的プロンプト使用

　JOPTでは、ステップ2と3では原則として何らかのイラストやグラフなどの視覚的なプロンプトを利用している。こうしたイラストやグラフを活用した理由は、次の3点である。1つ目として、A領域においてアカデミックな場面で求められるリソースが提示できること、2つ目としてB領域、C領域においては遭遇するであろう場面設定が容易に実現できること、3つ目として全領域をとおして達成すべき課題のイメージ化ができることが挙げられる。

　イラスト等は、ステップ2とステップ3でともに使用しているが、その役割は異なる。ステップ2では、イラスト等について説明・描写が求められるが、ステップ3におけるイラストの役割は「どんなテーマに関する質問なのか」をイメージさせるだけである。そこで、各領域のステップ2におけるイラスト等の役割について説明する。

　A領域はアカデミック場面での言語運用能力を測定することから、単純化されたグラフを読み解いて日本語で伝える能力、イラストで示された自然法則や物の仕組みについて説明できる能力を見る[9]。この方針にしたがい、すべての問題にはグラフやイラストが用意されている。

　A領域の具体的な問題例を挙げると、まず、受験者には図2の左の「研究者の男女比率」に関する棒グラフが提示される。受験者はこのグラフを見て「何に関するグラフか」を答え、次に「このグラフからどんなことがわかるか」について説明する。次に、イラスト問題は図2の右のような「水の循環の図」で、誰もが知っている自然現象について日本語でどれだけ

---

9) 第2期 (2017年度～2021年度) では、「自然法則や物の仕組みについての説明」は変更となった。詳細は別稿にて報告予定である。

李在鎬・伊東祐郎・鎌田修・坂本正・嶋田和子・西川寛之・野山広・六川雅彦・由井紀久子

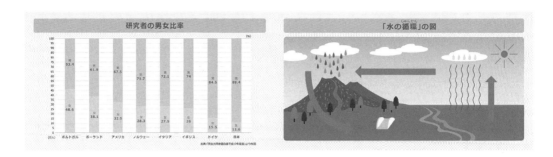

<図2>　A領域のテスト項目例

話すことができるかを見る問題である。なお、JOPTではグラフを読み解く能力をみることでアカデミックな口頭能力のすべてを捉えられるとはもちろん考えていない。しかし、アカデミックな能力を捉える上で不可欠な能力の1つであると考えている。いわゆる十分条件ではなく、必要条件の1つとしてグラフを読み解く能力を評価することにしている。

　B領域はビジネスの場面・状況をイラストで提示し、そこで起こっている事象について説明する能力を見る。問題例としては、受験者には図3のように「営業の人が会社に訪問しているイラスト」をもとに、「どういう場面で、どんなことがわかるか」について話すタスクを課し、その後、ビジネス場面での課題について説明を求める。

<図3>　B領域のテスト項目例

　C領域では、図4のような病気など身近な生活場面のイラストを提示し、どういう場面・状況か、何をしているのかについて話すタスクが課される。

＜図4＞　C領域のテスト項目例

4.3　ロールプレイの使用

　本節では、ロールプレイについて述べる。まず、A領域では、アカデミック場面でのロールプレイについても検討を重ねたが、最終的にはステップ2において「すでに述べたグラフの説明をもとに、場面を変えて『このグラフでわかったことについて30人のクラスメイトの前で発表する』」というプレゼンテーション形式を取ることとした。

　次にB領域では、ビジネスの場面・状況で求められる適切な表現ができるかどうかを見るロールプレイをステップ2で実施した。たとえば、「今日で今の会社を辞めます。みなさんの前で最後の挨拶をしてください」といったタスクである。

　最後にC領域では、ステップ2、ステップ3の両方においてロールプレイを実施することとした[10]。ステップ2では、簡単なやり取り、ステップ3になると「誤解を解く・丁寧に謝る」など難易度が上がる。また、一般的にロールプレイは「試験官とのやり取り」の重要性が問われるが、JOPTでは「できるだけテスターの発話を抑えたものにする」ことを大前提とした。これは、「授業において教師はしゃべりすぎず、学習者の発話を引き出すことが重要である」ということに対する教師の気づきにもつながる。

5.　JOPTの実施：ICTを利用した環境構築

　JOPTでは、多様な背景を持つテスターが効率的にテストを実施できるよう、ICT技術を利用した実施支援環境を構築した。具体的には、2つのシステムを開発した。それは、アン

---

10) 第2期では、ステップ3だけでの実施となった。

李在鎬・伊東祐郎・鎌田修・坂本正・嶋田和子・西川寛之・野山広・六川雅彦・由井紀久子

ドロイド端末で利用可能なテスト実施用アプリケーションとウェブブラウザで利用可能な
データ管理システムである。このアプリケーションの主な機能は、テスト素材を提示したり、
会話を録音したりすることである。データ管理システムの主な機能はタブレットから送信さ
れる音声と受験者情報を受け取り、データ収集と管理を一括して行うことである。以下、そ
れぞれのシステムの支援内容について述べる。

5.1　タブレット用システム

　JOPTでは、テストコンテンツの提示および発話データの録音に際して、アンドロイド
OSで動作するタブレット用のアプリケーションを独自に開発した。本アプリケーションは
多様な環境でテストが実施できるよう、テスト実施はオフライン環境で、(テスト実施後の)
データの送信はオンライン環境で実行できるように設計した。具体的には、以下の2つの
機能を備えている。

　テスト実施支援機能：オフライン環境での使用モジュールであり、受験者にテストコンテ
ンツ (イラスト)を表示するとともに試験官への指示を行う。また、学習者と試験官の発話は、
タブレット端末にすべて録音される仕様になっている。

　データ送信機能：オンライン環境で使用するモジュールで、学習者の氏名や滞在歴などの
属性データと音声サンプルをウェブサーバーに転送し、プロジェクトメンバーが共有できる
ようにしている。

(a) 起動画面	(b) 動作説明画面	(c) 受験者情報入力画面	(d) テスト選択画面

＜図5＞アプリケーションのスクリーンショット

　図5の(a)の起動画面で「テスト実施支援機能」を使う場合は左のボタンを、「データ転送機能」を使う場合は右側のボタンをタップする。次に、(b)でアプリケーションの動作についての説明が行われ、(c)で受験者の氏名や性別、年齢、国籍、日本滞在歴を入れる。次に、A、B、Cの領域のどれか1つを選択すると、ステップ1の問題画面に移動する。なお、図5の(c)の画面に移動すると同時に対話データの録音が開始される。録音の開始ボタンの押し忘れを防ぐ目的で、ユーザーには録音の開始や停止などの選択はさせず、システムが自動的に開始し、テスト終了と同時に、録音を終了するように設計した。

　すべてのテスト問題は、問題バンクから読み込んだ上で、ランダムに提示される仕組みになっており、試験官が意図的な問題を選択することができないようになっている。こうした仕組みを入れることで、同じ問題を繰り返し提示することがないようにした。ただし、リロードボタンをタップすると、問題の差し替えができるように設計してある。

5.2　データ管理システム

　複数の試験官が、様々な地域でテストを実施し、大量の音声を取得することになるが、これらを効率的に管理する必要がある。こうしたニーズに対して、JOPTでは、ウェブブラウザでアクセス可能なデータ管理システムを開発した。このシステムには、以下の2つの機能が備わっている。

(1)　受験者のデータ管理：図5の(c)で入力された受験者の氏名や性別などの個人情報を画面上で表示し、発話音声ファイルと関連づける。

(2)　音声の確認および簡易評定：発話音声ファイルの再生、音声ファイルに対するコメントの追加が可能。

　本システムを利用するためには、まず、図6の画面からIDとパスワードを入力しなければならない。こうしたログイン画面を用意した理由としては、1) 本システムには受験者の氏名や年齢といった個人情報が入っていること、2) 試験官やシステム管理者など、異なる権限を持った人たちが使用することを想定する必要があるからである。

　図6のログイン画面でIDとパスワードを入力すると、システム側では、システム管理者なのか、試験官なのかを (IDから) 判別し、試験官の場合は図7の試験官用の画面に、管理者の場合は管理者用の画面に移動する。

李在鎬・伊東祐郎・鎌田修・坂本正・嶋田和子・西川寛之・野山広・六川雅彦・由井紀久子

図7の試験官用の画面では、音声を確認し、音声に対して評価などのコメントを記録することができる。システム管理者用画面では、コメントを入力するといったことはできない。システム管理者用画面では試験官が入力したコメントを確認したり、データを削除するといった全体的な管理権限が与えられている。なお、試験官用画面ではデータの削除ができないようにしており、こうすることで、試験官が間違ってデータを削除するといったことを防ぐことができる。

<図6> ログイン画面

<図7> 試験官用画面

6. 予備調査の概要と分析結果の事例

3節および4節の内容にそって構築したテスト項目を使った調査を行った。調査の概要は以下のとおりである。

(1) いつ：2016年4月から2017年3月まで行った。

(2) どこで：東京、名古屋、浜松、京都、大阪で行った。

(3) 誰が：試験官はJOPTの研究分担者8名、調査協力者(受験者)53名、評定協力者4名、評定デザインおよびシステム構築2名である。

(4) 何を：JOPTのテスト項目の発話サンプルを収集したあと、収集したサンプルを表2の評価項目で評定した。

(5) なぜ：テスト項目の難易度や適切性を検討するために行った。

(6) どうやって：サンプル収集は試験官がやりやすい環境で対面で実施。評定はウェブシステムを構築して行った。

予備調査は、53名の受験者に対してA〜Cのステップ1〜3の複数のテスト項目を使って行った。項目数は、以下のとおりである。

＜表4＞　予備調査の項目数

	ステップ2	ステップ3	総計
A領域	3,710	3,693	7,403
B領域	3,674	3,661	7,335
C領域	3,697	3,691	7,388
総計	11,081	11,045	22,126

　表4で示した22,126個の音声サンプルに対して、表2で示した6つの項目に対して評定を行った。なお、評価を行うのはステップ2とステップ3だけであり、分析データに入れていない。当初、多相ラッシュモデルによる分析などを想定し、評定をしたが、紙面の都合上、評価項目における相関のみを報告する。

＜表5＞　項目間の相関

	語彙能力	文法能力	談話構成能力	発音	流暢さ	課題達成度
語彙能力	1.000					
文法能力	.725**	1.000				
談話構成能力	.744**	.698**	1.000			
発音	.641**	.650**	.623**	1.000		
流暢さ	.670**	.662**	.706**	.607**	1.000	
課題達成	.718**	.631**	.709**	.575**	.646**	1.000

(** は1%水準で有意)

　表5はJOPTが6つの評定項目間の相関係数を計算した結果である。相関係数は、0~1の範囲で2つの変量間の関連の強さを示すもので、1に近ければ近いほど関連が強いものと解釈される(統計分析の詳細は島田・野口(2017)を参照)。この表から、課題達成ともっとも相関が高いのは、語彙能力であり、発音がもっとも相関が低いことが明らかになったが、概ね、

李在鎬・伊東祐郎・鎌田修・坂本正・嶋田和子・西川寛之・野山広・六川雅彦・由井紀久子

私たちの予想通りの結果であった。

7.　まとめと今後の課題

　本稿では 2013 年度〜 2016 年度において展開してきたJOPT第 1 期の成果として開発したテストについて述べた。JOPTの特徴は、次の 4 点としてまとめられる。(1)アカデミック (A)、ビジネス (B)、コミュニティー (C) の 3 領域に分かれたテストであること。(2)3 つのレベル (ステップ 1、ステップ 2、ステップ 3) から構成されていること。(3)タブレットを使用し、かつ、15 分という短時間で行っていること。(4)短時間の研修 (試験のコンセプト・構成・内容および使い方説明など) を受けるだけで実施できるため、特別なテスター養成プログラムは必要ないことである。なお、(4)に関連しては、本テストの大きな特徴ではあるが、今後、データに基づく検証作業が必要である。

　JOPTは、2017 年度から第 2 期として「JOPTの拡充と普及」という新たな科学研究費補助金基盤研究 (A) がスタートしており、今も進行中である。第 2 期では第 1 期で構築したデザインにそってテスト項目の作成とその普及のためのワークショップの開催などを予定している。

謝辞

　本研究は科研費 (基盤(A)、25244023、17H00919) の研究成果である。

参考文献

大隅敦子・谷内美智子(2015).「日本語能力試験」李在鎬(編).『日本語教育のための言語テストガイドブック』くろしお出版.

大隅敦子・谷内美智子・小野澤佳恵・篠崎摂子・浅見かおり・野口裕之・小森和子(2009).「新しい日本語能力試験が目指すもの」日本語教育学会2009年秋季大会シンポジウム配布資料, 明海大学 (https://www.jlpt.jp/reference/pdf/2009_020.pdf, 2019.1.22 閲覧)

鎌田修・嶋田和子・迫田久美子(編著).(2008).『プロフィシェンシーを育てる─真の日本語能力をめざして』凡人社.

近藤ブラウン妃美(2012).『日本語教師のための評価入門』くろしお出版.

島田めぐみ・野口裕之(2017).『日本語教育のためのはじめての統計分析』ひつじ書房.

李在鎬・嶋田和子・伊東祐郎・鎌田修・坂本正・由井紀久子・六川雅彦(2018).「口頭能力テスト「JOPT」と「OPI」の対応に関する調査報告」『2018年度日本語教育学会秋季大会予稿集』pp.167-172.

ACTFL (1999). *ACTFL Oral Proficiency Interview Tester Training Manual*, (牧野成一(監修)(1999). 『ACTFL-OPI試験官養成用マニュアル』アルク.)

Bachman, L. F. (1990). *Fundamental Considerations in Language Testing*. Oxford University Press. (池田央・大友賢二(監修)(1997).『言語テスト法の基礎』C.S.L.学習評価研究所.)

Bachman, L. F. & Palmer, A. S. (1996). *Language Testing in Practice: Designing and Developing Useful Language Tests*. Oxford University Press. (大友賢二・ランドルフ スラッシャー(監訳)(2000).『<実践>言語テスト作成法』大修館書店.)

Brown, H. D. (2004). *Language Assessment: Principles and Classroom Practices*. London: Longman.

Brown, J. D. (1996). *Testing in Language Programs*. Prentice-Hall. (和田稔(訳)(1999).『言語テストの基礎知識』大修館書店.)

Canale, M. (1983). From Communicative Competence to Communicative Language Pedagogy. J. Richards & R. Schmidt(eds.), *Language and Communication*. London: Longman.

Canale, M. & Swain, M. (1980). Theoretical bases of communicative approaches to second language teaching and testing. *Applied Linguistics 1/1*.,1-47.

Council of Europe (2001). *Common European Framework of Reference for Languages: Learning, teaching, assessment*. Cambridge University Press. (吉島茂・大橋理枝 (訳)(2004).『外国語の学習、教授、評価のためのヨーロッパ共通参照枠』朝日出版社.)

「問い合わせ」のメール文における
ドイツ語母語話者の使用状況

金庭久美子 (立教大学)

村田裕美子 (ミュンヘン大学)

要旨

　本研究の目的は「問い合わせ」のメールタスクにおいて日本語母語話者とドイツ語母語話者の相違点を明らかにすることである。本研究では A「日本語母語話者が日本語で書いたメール文」30 名、B「ドイツ語母語話者が日本語で書いたメール文」30 名、C「ドイツ語母語話者がドイツ語で書いたメール文」21 名のデータを収集し、構成要素の比較、および具体的な表現の比較を行った。その結果、A と C のメール文は構成要素において開始部と終了部の挨拶や署名などにおいて違いが見られたが、A と B はほぼ同じ構成要素でメール文を作成していることがわかった。また、具体的な表現を見た結果、B では「宛名」や「連絡理由」の表現で対人関係を損なう可能性のある表現があり指導する必要があること、出席困難なことを伝達するために A では「～ことができない」を用いる一方、B では可能形を用い、表現が異なること、さらに、B は「問い合わせ」の際に、母語の影響を受けず日本語母語話者と同様の相手に判断を委ねる表現を選択して用いていることがわかった。

キーワード：メール文、問い合わせ、構成要素、ドイツ語母語話者、日本語母語話者

Conditions of German Native Speakers' Usage
of Emails for "Inquiry"

KANENIWA, Kumiko (Rikkyo University)

MURATA, Yumiko (München University)

Abstract

The purpose of this study is to identify the differences between Japanese and German native speakers in the usage of email for tasks of "inquiry." In this study, data on A, 30 "emails written in Japanese by Japanese native speakers;" B, "30 emails written in Japanese by German native speakers;" and C, 21 "emails written in German by German native speakers," were collected and a comparison of structural elements and of specific expressions was conducted. Results showing differences in structural elements were seen in the greetings and signatures for opening and closing portions of the emails composed by A and C, however the emails composed by A and B consisted of almost the same elements. Furthermore, as a result of observing the specific expressions, we see that in B, there are expressions that may damage interpersonal relationships among expressions used for the "addressee" and "reason for contact" and that there is, therefore, need for guidance. It is also noted that in order to communicate the inability to attend, the expressions are different, with "cannot do–" being used in A and the potential form being used in B. In addition, in the case of B, expressions that entrust judgment to the other person were selected and used for "inquiry" without influence from their native language, using similar expressions to Japanese native speakers.

Keywords: emails, inquiry, structural elements, German native speakers, Japanese native speakers

1. はじめに

　日本語教育のクラスにおいて、書き言葉の指導としてエッセイやレポートなどの指導が行われているが、これらは不特定の読み手を対象として書くものである。一方、ビジネスメール文の指導などが行われるようになってきたが、メール文は、特定の読み手を対象としており、読み手に配慮しながらメッセージを伝える必要があり、同じ書き言葉であってもエッセイやレポートとは書き方が異なる。そのため、日本語学習者の日常的なメール文の使用状況を確認し、指導内容を検討する必要がある。

　本研究では、日本語母語話者と日本語学習者であるドイツ語母語話者に「問い合わせ」のメールタスクを与え、両者のメール文の比較を行い、相違点を明らかにする。「問い合わせ」のタスクを選んだのは、本研究の対象者であるドイツ語母語話者の一部には日本への交換留学を予定している者や将来的に日本企業に就職したいと考えている者がおり、面識のない相手へのメール文の練習が必要だと考えたからである。さらに追加調査として、同じタスクを母語のドイツ語で書いてもらい、日本語のメール文との比較を行い、考察を行うことにする。

2. 先行研究

　メール文 (e-mail) に関する母語別の比較を行った研究はこれまでにいくつか報告されている。表1はそれらをまとめたものである。

　表1を見るとわかる通り、主に中国語母語話者、韓国語母語話者を対象とした調査が多く行われており、対象者に与えたタスクは複数のタスクを与えたNo.11, 12 をのぞき、「依頼」(No.1,2,3,8,9,10)と「断り」(No.4,5,7,8,14)のタスクが多いことがわかる。ここでいう「依頼」のタスクというのは、「研究協力の依頼 (No.1)」「資料の依頼 (No.8)」のように依頼をすることが主となっているタスクのことであり、「断り」のタスクも同様である。また、日本語母語話者と非母語話者の日本語によるメール文の比較 (No.4 〜 12、No.14) が多く、日本語のメールと学習者の母語のメールの対照研究についてはあまり報告されていないようである。

　表1の従来の研究のうち、No.1 〜No.10 が談話構造に注目しメールを構成する要素を比較した研究で、No.11 〜No.14 がメール内に見られる表現を比較した研究である。

＜表1＞　メール文に関する先行研究

	研究者 (発表年)	対象者・作成言語	タスク	内容
1	李 (2004)	中国語 (台湾) 及び日本語母語話者、各母語で作成	依頼	研究協力の依頼のメールで展開構造やストラテジーを比較
2	宮崎 (2007)	タイ語及び日本語母語話者、日本語とタイ語で作成	依頼	教員へのインタビューの依頼メール文で談話の特徴を比較
3	大友 (2009)	中国語及び日本語母語話者、各母語で作成	依頼	研究のための調査協力の依頼のメールで上下関係のある者同士の依頼におけるストラテジーを比較
4	吉田 (2009)	韓国語及び日本語母語話者、日本語で作成	断り	コンサートの誘いに対する断りのメール文で働きかけ方を機能的要素別に比較
5	WORASRI (2012)	タイ語及び日本語母語話者、日本語とタイ語で作成	断り	踊りの誘いに対する断りメールの構成・意味公式における特徴を比較
6	嶋田 (2013)	中国語及び日本語母語話者、日本語で作成	勧誘	クラスメート全員、個人、教員宛にバーベキューの案内を送るメールで構成を比較
7	濱田・古本・桑原・深澤 (2013)	中国語及び日本語母語話者、日本語で作成	断り	先生に頼まれていたアルバイトを断るメールを機能的要素別に比較
8	矢田 (2014)	中国・香港・台湾・ベトナムの学習者及び日本語母語話者、日本語で作成	依頼と断り	ビジネス場面での資料の依頼、資料の催促、セミナー案内の断り、購入の断りの4つのメール文構成、展開、言語形式の比較
9	王・聞 (2015)	中国語及び日本語母語話者、日本語で作成	依頼	指導教官への推薦状依頼、友人へのレポートチェックの依頼のメール文における発話要素の比較
10	李・金 (2016)	韓国語及び日本語母語話者、日本語で作成	依頼	指導教官への推薦状依頼のメール文における意味公式の比較
11	金庭 (2016)	韓国語、中国語及び日本語母語話者、日本語で作成	3つのタスク	図書貸出依頼、観光地紹介、意見述べのメールの開始部と終了部の表現を学習レベル別に比較
12	金庭・金 (2016)	韓国語及び日本語母語話者、日本語で作成	8つのタスク	複数のメールタスクにおけるメール文の開始部と終了部の表現を比較
13	金庭・金 (2017)	韓国語及び日本語母語話者、日本語と韓国語で作成	連絡とお詫び	持ち寄り品の連絡と不注意による備品持ち出しのお詫びのメールの開始部と終了部における挨拶表現を学習レベル別、および母語によるメール文と比較
14	金蘭美・金庭・金玄珠 (2018)	韓国語及び日本語母語話者、日本語で作成	断り	翻訳の依頼を断るメール文において読み手に不快感を与える可能性のある表現を指摘

メールを構成する要素を比較した研究では、メール文を「開始部」「主要部」「終了部」に分け、それぞれを構成する要素がどんな意味内容かを分類し、日本語母語話者と非母語話者の使用状況を比較している。その名称として、「段階」(李, 2004)、「談話構造の下位分類」(宮崎, 2007; 嶋田, 2013)、「展開要素」(大友, 2009)、「意味公式」(WORASRI, 2012; 李・金, 2016)、「ストラテジー」(矢田, 2014)、「機能的要素」(吉田, 2009; 濱田・古本・桑原・深澤, 2013)、「発話要素」(王・聞, 2015)、「構成要素」(金庭, 2016 など) と名付けている。名称は異なるが実質的には同じものを指していると言ってよいだろう。本研究とはメールのタスク内容が異なるが、濱田・古本・桑原・深澤 (2013) は、メール文の要素として日本語母語話者が宛名、冒頭の挨拶、署名が少ないことを指摘している。No.1 ～No.10 の研究のうち、各要素の具体的な表現の違いについての分析は十分ではなく、嶋田 (2013)、濱田・古本・桑原・深澤 (2013)、矢田 (2014) で触れられているのみであった。

一方、メール内に見られる表現を比較した研究において、No.11 ～No.13 はメール文の「開始部」と「終了部」の表現に注目している。金庭 (2016) は、非母語話者は学習レベルが低いほどメール文にふさわしい挨拶の不備や挨拶の欠落が見られることを指摘している。金庭・金 (2016) では日本語母語話者は人間関係を円滑に保つための表現を用いること、韓国人学習者は見せかけの前置き表現より現実的な表現を選ぶことを述べている。また、金庭・金 (2017) では、文法だけでなく挨拶表現においても学習レベルの向上に伴い、独自のルールを用い、より日本語らしい表現を自ら探して、目標の表現に到達することを指摘している。

本研究ではEメールの研究の比較を行ったが、類似の伝達手段として携帯メールもある。携帯メールは友人同士で行うことが多く、文も短く、絵文字を用いることもあるため、本研究のタスクと異なると判断し、本研究では扱わなかった。

本研究の対象者はドイツ語母語話者と日本語母語話者であり、これまでメール文についての対照研究が行われておらずその実態はあまり知られていない。また、メールを構成する要素とメール内に見られる表現の両面から比較した研究はあまりなく研究の必要性を感じる。さらに本研究で対象者に与えたタスクは「問い合わせ」であり、これまでとは違ったタスクであり、従来の研究で気づかなかった点が明らかになる可能性がある。

3. 調査目的

本研究の目的は、「問い合わせ」のメールタスクにおいて日本語母語話者とドイツ語母語話者の相違点を明らかにすることである。調査ではA「日本語母語話者が日本語で書いたメー

ル文」(以下A)、B「ドイツ語母語話者が日本語で書いたメール文」(以下B)、C「ドイツ語母語話者がドイツ語で書いたメール文」(以下C)のデータを収集し、構成要素や具体的な表現の比較を行い、分析を行う。

4. 調査

4.1 調査1 日本語によるメール文の調査概要

(1) 対象者

　調査1の対象者は、A日本語母語話者30名、Bドイツで日本語を学ぶドイツ語母語話者30名で、いずれも大学に所属する20歳代の学生である。Bの対象者は総合的学習の1つとして作文を書くことがあるが、作文の授業はなくメール文の指導を受けることはほとんどない。Bの対象者にはSPOT90[1]を実施し、平均73.2点(47〜85点)であった。レベルとしては中級相当であり、用意されたタスク内容を理解して、日本語でメールが作成できる者である。調査は2016年1月から2016年12月にかけて日本の大学とドイツの大学において行った。

(2) タスク内容

　今回扱うタスクは、以下の「問い合わせ」のタスクである。

　　＜問い合わせ＞

　　「あなたは留学することになりました。授業は4月10日にはじまります。けれども、自分の大学で試験があって、その日に行くことができません。留学先の事務スタッフに連絡して、どうすればいいか聞いてください。」

　このタスクを日本語母語話者には日本語で、ドイツ語母語話者にはドイツ語で与え、実際のメールソフトを用い、日本語で作成してもらった。

　本研究のタスクは、指定日に来日できないことを伝え、その対応策について問い合わせることを到達目標としている。最終的には返信の依頼をすることになるが、返信の依頼がタスクの最終目標ではない。そのため、本タスクは「問い合わせ」と呼ぶことにする。

---

1) 実施においては、筑波大学留学生センターが開発したTTBJ(SPOT)を使用した。TTBJの詳細は「http://ttbj.jpn.org/」を参照のこと。

(3) 調査方法

　本研究では金庭 (2016) にならい、本研究の調査者 2 名、および協力者 1 名の計 3 名で、メールを構成する要素を抽出する作業を行った。判定に迷う場合は 3 名で協議して決めた。表 2 は、A 日本語母語話者と B ドイツ語母語話者の「問い合わせ」のメールの例である。このタスクにおいて抽出された構成要素は、開始部は宛名、挨拶、名乗り、主要部は、連絡理由、出席不可能の理由 (母校の試験日と重なっていること)、前提情報 (授業開始日は了解していること)、出席不可能の伝達、問い合わせ、代案である。終了部は読み手配慮、返信要求の依頼、または返信要求のない依頼、終わりの挨拶、署名である [2]。A および B に対し、表 2 に挙げたような構成要素を挙げ、意味ごとに要素を分類することにした。

＜表 2＞　「問い合わせ」のメール文の構成要素と文例

構成要素		A 日本語母語話者の例 (J005[3])	B ドイツ語母語話者の例 (G002_SPOT56 (点))
開始部	宛名	○○大学 事務スタッフ様	—
	冒頭の挨拶	突然のメール失礼致します。	こんにちは。
	名乗り (関係・所属)	○○大学 ○○学部 ○○学科 3 年の○○です。	○○と申します。
		4 月から貴大学に留学させて頂くのですが、	4 月 11 日から○○大学に留学する予定ですが、
主要部	連絡理由	ご相談したいことがあり、連絡させて頂きました。	ちょっと問題があるんです。
	前提情報	(※ 4 月 10 日に授業が始まるということですが [4])	—
	出席不可能の理由	実は、○○大学での試験が 4 月 10 日に行われるため、	4 月 11 日、ミュンヘンで試験を受けなければならないものですから、
	出席不可能の伝達	貴大学での授業に参加することができそうにありません。	この時日の前に来られません。
	問い合わせ	授業概要の説明やテキストの受け取りなど、どのように補えばよろしいでしょうか。	どうすればいいですか。
	代案	4 月 10 日以降であれば、大学に直接出向くことも可能です。	

---

2) 宮崎 (2007) では「件名」も挙げているが、本研究では「件名」に統一がとれず、調査の対象から外した。

3) 被験者番号は、J、G、D に 3 桁の数字をつけたものである。J は日本語母語話者の場合、G はドイツ語母語話者による日本語メール文の場合、D はドイツ語母語話者によるドイツ語メール文の場合に付した。「G002_SPOT56 (点)」はドイツ語母語話者の日本語学習者で SPOT の点数が 56 点であったことを示している。

4) 日本語母語話者 (J005) にはなかったが、「前提情報」として「4 月 10 日に授業が始まるということ」についての情報が書かれているものが多かった (後掲表 4 参照)

	読み手配慮	お手数おかけ致しますが	―
	返信要求の依頼	―	お返事お待ちしております。
終了部	返信要求のない依頼	何卒よろしくお願い致します。	―
	お礼		(※ありがとうございます。[5])
	終わりの挨拶	―	(※敬具)
	署名	あり	あり

4.2　調査2　ドイツ語によるメール文の調査概要

　調査2の対象者は、日本語を学んでいないか、あるいは日本語でのメール文の書き方を知らない初級レベルの日本語学習者のドイツ語母語話者21名 (以下C) で、ドイツの大学に所属する20歳代の学生である。調査は2017年9月から2018年1月にかけて行われた。調査1と同じタスクをドイツ語で与え、実際のメールソフトを用い、ドイツ語で作成してもらった。

　表3は、Cドイツ語母語話者による「問い合わせ」のメールの例である。左列はドイツ語によるもので、右列はドイツ語で書かれたものを直訳したものである。

　表3を見ると、いくつかの構成要素において記述がないところもあるが、ドイツ語においても「宛名」「名乗り」「出席不可能の理由」「出席不可能の伝達」「問い合わせ」「署名」など日本語とほぼ共通の構成要素が抽出されており、その提示順序においてもほぼ同じである。

---

5) 例に挙げたドイツ語母語話者 (G002) にはなかったが、メールの終了部に「お礼」として「ありがとうございます」を書いたものや「終わりの挨拶」として「敬具」を書いたものがいた。

＜表3＞ ドイツ語による「問い合わせ」のメール文

<table>
<tr><th colspan="2">構成要素</th><th>ドイツ語によるメール文 (D014)</th><th>その直訳</th></tr>
<tr><td rowspan="3">開始部</td><td>宛名</td><td>Sehr geehrte Damen und Herren,</td><td>皆様 [6]</td></tr>
<tr><td>冒頭の挨拶</td><td>—</td><td>—</td></tr>
<tr><td>名乗り(関係・所属)</td><td>ab April bin ich ein Austauschstudent an ihrer Universität</td><td>4月から私はあなたの大学の交換留学生です。(名前なし)</td></tr>
<tr><td rowspan="6">主要部</td><td>前提情報</td><td>und meine Kurse beginnen am 10. April.</td><td>コースは4月10日に始まります。</td></tr>
<tr><td>出席不可能の理由</td><td>Allerdings habe ich noch Prüfungen an meiner Heimatuniversität</td><td>しかし、私はまだ自分の大学で試験があります。</td></tr>
<tr><td>出席不可能の伝達</td><td>und kann deshalb nicht zu ihrem Semesterbeginn anwesend sein.</td><td>したがって、学期の始めに出席することはできません。</td></tr>
<tr><td>連絡理由</td><td>Darum wollte ich sie fragen, wie diese Situation zu handhaben ist.</td><td>そういうわけで、私はこのような状況にどう対処するかを尋ねたいです。</td></tr>
<tr><td>問い合わせ</td><td>Könnte ich die Kurse auch zu einem späteren Zeitpunkt besuchen bzw. ist es schlimm, wenn ich an den ersten Unterrichtsstunden nicht teilnehme? Falls es eine Anwesenheitspflicht gibt, kann ich eine Bestätigung o.Ä. von meiner Heimatuniversität mitbringen, die mich entschuldigt?</td><td>後からでもコースに出席することはできますか。最初のレッスンに出席しなかったら悪いですか。出席が義務である場合、自分の大学から欠席の理由を証明する書類などを持って行ってもいいでしょうか。</td></tr>
<tr><td>代案</td><td>—</td><td>—</td></tr>
<tr><td rowspan="5">終了部</td><td>読み手配慮</td><td>—</td><td>—</td></tr>
<tr><td>返信要求の依頼</td><td>—</td><td>—</td></tr>
<tr><td>その他(謝罪や希望)</td><td>Ich hoffe, dass wir eine Lösung für dieses Problem finden können.</td><td>私たちがこの問題に対して解決策を見つけることができれば幸いです。</td></tr>
<tr><td>終わりの挨拶</td><td>Mit freundlichen Grüßen,</td><td>敬具</td></tr>
<tr><td>署名</td><td>［Vorname Nachname］</td><td>名前</td></tr>
</table>

---

6) 宛名の名前がわからないときに用いられる。「ご担当者様」「関係者各位」の意味合いで用いられるようである。

5. 結果

5.1 「構成要素」の母語別、使用言語別比較の結果

「問い合わせ」のメールタスクに見られた各構成要素を用いた数を母語別に調べた。表4のAは日本語母語話者が日本語で書いたメール文 (A日⇒日)、Bはドイツ語母語話者が日本語で書いたメール文 (B独⇒日)、Cはドイツ語母語話者がドイツ語で書いたメール文 (C独⇒独)である。Cは対象者数が異なるので、表4の枠で囲った右側は全体の人数に対する割合を%で示した。「A-B」は日本語メールにおけるA日本語母語話者とBドイツ語母語話者との割合の差、「A-C」はA日本語母語話者による日本語メールとCドイツ語母語話者によるドイツ語メールの割合の差である。BまたはCの方が多ければ△(マイナス)を付した。

＜表4＞ 「構成要素」の母語別、使用言語別比較

	構成要素	A 日⇒日 30名	B 独⇒日 30名	C 独⇒独 21名	A 日⇒日 %	B 独⇒日 %	C 独⇒独 %	A-B	A-C
開始部	宛名	22	24	20	73.3	80	95.2	△6.7	△21.9
	冒頭の挨拶	18	18	1	60	60	4.8	0	55.2
	名乗り(関係・所属)	29	26	10	96.7	86.7	47.6	10	49.1
主要部	連絡理由	17	13	4	56.7	43.3	19	13.4	37.7
	前提情報	25	20	10	83.3	66.7	47.6	16.6	35.7
	出席不可能の理由	30	30	21	100	100	100	0	0
	出席不可能の伝達	30	28	17	100	93.3	81	6.7	19
	問い合わせ	24	29	20	80	96.7	95.2	△16.7	△15.2
	代案	7	8	0	23.3	26.7	0	△3.4	23.3
終了部	読み手配慮	9	10	0	30	33.3	0	△3.3	30
	返信要求の依頼	10	14	3	33.3	46.7	14.3	△13.4	19
	返信要求のない依頼	16	19	1	53.3	63.3	4.8	△10	48.5
	お礼	0	1	10	0	3.3	47.6	△3.3	△47.6
	その他(謝罪・希望等)	1	1	9	3.3	3.3	42.9	0	△39.6
	終わりの挨拶	1	4	19	3.3	13.3	90.5	△10	△87.2
	署名	14	25	20	46.7	83.3	95.2	△36.6	△48.5

表4の枠で囲った部分を見ると、このメールタスクを達成するために必要な構成要素は、A、B、Cともに7割以上産出されている「宛名」「出席不可能の理由」「出席不可能の伝達」「問い合わせ」であると言える。

AとB (「A-B」) で、やや差が見られたのは「署名」(36.6) であるが、他の構成要素では

その差は2割未満であり、Bドイツ語母語話者はA日本語母語話者とほぼ同じ構成要素を用いてこのタスクを作成している。

AとC（「A-C」）で40%以上の違いが見られたのは、「冒頭の挨拶」(55.2)、「名乗り」(49.1)、「返信要求のない依頼」(48.5)で、A日本語母語話者に多い。一方、「お礼」(47.6)、「終わりの挨拶」(87.2)、「署名」(48.5)は、Bドイツ語母語話者に多いことがわかる。

5.2　考察1：「構成要素」の母語別、使用言語別比較

表4において、AとBの間に大きな差が見られないことから、本研究の対象者であるBドイツ語母語話者は、「問い合わせ」に必要な構成要素を用い、日本語の書き方にならってメール文を作成していると言える。このことから本研究の対象者はこのタスクを十分に達成できるレベルであったと考えられる。

表4においてCのドイツ語によるメール文を見ると、開始部の「宛名」、終了部の「終わりの挨拶」「署名」が90%以上となっており、ドイツ語のメール文ではその体裁として、開始部と終了部を重視していることがわかる。特に「宛名」を書いた20名のうち16名が"Sehr geehrte Damen und Herren"を用いた。また、「終わりの挨拶」を書いた19名のうち17名が"Mit freundlichen Grüßen"を用いた。これらの表現がドイツ語による定型句だと考えられる。さらに、21名中20名が「署名」している。一方、Aの日本語では「宛名」(73.3)はあるものの、「終わりの挨拶」(3.3)はほとんど見られない。やや改まったビジネスメールなどでは「拝啓」「敬具」といった表現を用いることもあるが、学生と事務員の間のメールではそのような表現を使うことはあまりないと思われる。したがって、Aが「終わりの挨拶」を書かないことは予想される。特に、日本語母語話者に宛名、冒頭の挨拶、署名が少ないことは、前述の濱田・古本・桑原・深澤(2013)においても指摘されている。

Bにおいて日本語で「敬具」と書いたものが4名いたが、ドイツ語の"Mit freundlichen Grüßen"を日本語にして用いたのではないかと思われる。

注目したいのは、「名乗り」や「署名」である。AとCにおいて大きな違いが見られたのは、「名乗り」であった。Aの日本語では開始部で名乗ることが多い(96.7)が、Cのドイツ語では開始部では名乗らないことがある(47.6)。一方、Bは、開始部で「名乗り」(86.7)があり、名乗り方において日本語のスタイルを用いていると言える。終了部の「署名」においてはA(46.7)が少ない。日本語では開始部で名乗るため、あるいはあらかじめ署名設定をしているため省略していると考えられる。一方、Cドイツ語メールの「署名」(95.2)は21名中20名

であった。B(83.3) はA(46.7) よりも多く母語のドイツ語の署名方法を踏襲していると思われる。

「冒頭の挨拶」においてはAとCに差 (55.2) が見られた。Cで "Guten Tag"(こんにちは)を用いたのは 1 名 (4.8) のみであった。一方、A (60.0) やB (60.0) ではいずれも「こんにちは」を使用していた。日本語では親しくない相手の場合、「こんにちは」はあまり用いないが、このタスクの場合、AとBは留学手続きのために数回やりとりを想定していると考えられ、親しい間柄に用いられる「こんにちは」を選択したのではないかと考えられる。

以上のことから、日本語とドイツ語のメール文において、構成要素のうち、「宛名」「はじめの挨拶」「終わりの挨拶」「署名」などのメール文の体裁において違いが見られるが、Bドイツ語母語話者は、日本語のメール文の体裁に沿って書いていることがわかった。

A日本語母語話者とBドイツ語母語話者は各構成要素の産出において大きな差は見られなかったが、「問い合わせ」の具体的な表現においてどのような違いが見られるのであろうか。

5.3　各構成要素に見られた表現の比較の結果

5.3 では各構成要素に見られた表現の比較を行うことにする。

5.3.1　開始部に見られた表現

まず、開始部の「宛名」であるが、表 5 に示すような表現を用いていた。

＜表 5 ＞　「宛名」の表現

		A 日本語 母語話者	B ドイツ語 母語話者
a	(○○大学) 事務スタッフ様／(留学支援) 担当者様	10	2
b	(○○大学　事務室)　御中	1	1
c	(○○大学) ○○様	7	2
d	(○○大学) ○○さん	3	3
e	(○○大学　事務) 敬称なし	1	1
f	事務のみなさん／皆様／(大学の事務所の) 方々	1	8
g	〜へ (担当者の方へ、オフィスへ、皆様へ、関係者へ等)	0	6
h	関係者各位	0	1

i	宛名なし　拝啓		0	3
j	宛名なし		7	3
	日本語によるメール　計		30	30

　このタスクにおいて、ふさわしい宛先の書き方は「(○○大学)ご担当者様」であろうが、Aは「a事務スタッフ様」(6名)「a(留学支援)担当者様」(4名) 合わせて10名であった。一方、Bは「a担当者様」は2名のみであったが、いずれも「ご担当者様」ではなかった。宛名を書かなかったAが7名いたことから、日本語母語話者であっても、事務職員の宛名書きに迷ったのではないかと思われる。ここで、留意すべき表現は、Bの「f皆様」、「g～へ」という書き方である。特定の名前を書くことができないため「f皆様」で代用したと思われる。Cのドイツ語においては "Sehr geehrte Damen und Herren," (16名)の使用が多かったが、日本語にはないため似ている意味合いの「皆様」を選択したのかもしれない。さらに、「g～へ」は、親しい関係で年少者の間で用いられるため事務的なメールでは不適切である。

5.3.2　主要部に見られた表現

　次に主要部に見られた表現を具体的に見ることにする。

　メールをした理由について説明している「連絡理由」について見たものが表6である。日本語のメールにおいて、「連絡理由」を説明した者は、Aは17名、Bは13名であった。Aの17名のうち、14名はパターン1の「ご相談したいことがあり、連絡させて頂きましたJ005」のように、「相談／質問したいこと」「伺いたいこと」があって、「連絡／メールしました」のように「～ました (完了)」を用いて伝えている。連絡理由を説明した者のほとんどがこの表現を使用していることから日本語母語話者が問い合わせをする際の典型的な表現だと思われる。Bの場合、1名のみ「お願いしたいことがあってメールをお出ししました。G025_SPOT66」のようにパターン1の「～ました (完了)」を用いていた。日本語のメールで「～ました (完了)」を用いるのは、そのメールがすでに到着したことを想定して書いているからであろう。一方、Cのドイツ語によるメール文では「連絡理由」にAのような「相談したいことがありメールした」という例は見られなかった。

＜表6＞ 「連絡理由」に見られた表現

	A 日本語母語話者	B ドイツ語母語話者
パターン1 相談 / 質問 / 伺いたいことがあり＋連絡 / メールしました	14	1
パターン2 伺いたいことがあるのですが	3	1
パターン3 連絡します	0	2
パターン4 「問題」という語を用いる	0	7
パターン5 質問があります	0	2
なし	13	17
計	30	30

　また、Bに特徴的な表現はパターン4「問題がある」(7名) のようである。例えば、「ちょっと問題があるんです。G002_SPOT56」「問題がありますから、連絡したいです。G017_SPOT72」「学期初めについて、ご連絡致します。遭遇した大問題の件でご相談がございます。G021_SPOT83」などである。通常日本語において「問題がある」という表現は大きな事件について言う時か、相手を咎める時に用いる表現であると思われるので、違和感を覚える。Cのドイツ語によるメール文を見たところ、"Bei mir ist ein kleines Problem aufgetreten." (私には小さな問題があります。D013)や "ich habe dennoch ein Problem bezüglich des Anfangs der Kurse."(私はまだコースの開始に関する問題があります。D018)などが見られ、Problem (問題) をそのまま日本語に置き換えたのではないかと考えられる。

　次に主要部の「出席不可能の伝達」の箇所で用いた表現を見ることにする。表7は「出席不可能の伝達」の際に用いた表現である。Aが最も多く用いた表現はパターン1の「動詞(辞書形)＋ことができない」で23名が使用している。パターン2の可能形を使用した者は、2-1、2-1合わせて2名のみであった。一方、Bの場合、パターン1を使用したのは3名のみであった。パターン2の可能形を使用したものは2-1が9名、2-2が7名で合わせて、16名であった。Bは「〜ことができる」より可能形を多く使う傾向にある。

＜表7＞ 「出席不可能の伝達」に見られた表現

	A 日本語母語話者	B ドイツ語母語話者
パターン1(行く・出席する・渡航する、など)ことができない	23	3
パターン2-1 可能形	1	9
パターン2-2(参加・出席・到着)できない	1	7
パターン3〜ことは難しい・無理だ・困る	3	4
その他(間に合わない、欠席となりそう、など)	2	5
なし	0	2
計	30	30

　Cのドイツ語によるメール文においては、"kann deswegen zu Kursbeginn am 10. April nicht."(4月10日には出席できません。D001)のように"kann"(可能を表す助動詞)を用いるが、日本語に置き換えた場合「可能形」でも「〜ことができる」のいずれも選択可能であり、Bの半数以上が可能形を使用した理由はドイツ語の母語の影響ではなさそうである。
　主要部のうち、「問い合わせ」についてみたものが、表8である。

＜表8＞ 「問い合わせ」に見られた表現

	A 日本語母語話者	B ドイツ語母語話者
パターン1 どう〜ば・たら/いい/よい/よろしい	12	21(4)[7]
パターン2 どう〜ば・たらいい(の)か教えて〜	10	2
その他	2	6
なし	6	1
計	30	30

　表8を見ると、A、Bともに、パターン1「どのようにすればよいでしょうか。J012」やパターン2「どうすればよいか教えていただけないでしょうか？J016」を用いている。Aはパターン1が12名、パターン2が10名で同程度使用しているが、Bはパターン1が21名でパター

[7]21名のうち4名は以下のような誤用例である。「今何をしたらいいですか。G018」「その問題なら、どうすればよいのでしょうか。G022」など。

ン2は2名のみであった。両者ともに自分の都合を優先せず、読み手に問いかけることで判断を委ねる言い方を使用している。

　Bが「どうすれば／どうしたら」を用いて問いかけていることから、ドイツ語の「問い合わせ」でも同様かについてみることにした。Cのドイツ語メールの例を見ると、表3（D014）の例や "Was kann ich in diesem Sonderfall tun? Ist es in Ordnung, wenn ich später komme? Gibt es wichtige Termine, die ich verpasse?"（このような場合私は何ができますか？　遅れて行っても大丈夫ですか？　逃してしまう重要な予定がありますか？　D001）のように2つ以上の質問をするようなものが10名見られ、日本語のように相手に判断を委ねるような質問は見られなかった。Bのその他では「それ以外何が必要なことがありますか。授業に参加できないことが問題ですか。G006_SPOT85」のように日本語においてもドイツ語のように質問する例が見られた。これは母語の影響であると考えられる。しかし、Bではパターン1が21名いたことから、日本語であることを意識して問い合わせをしたと言える。

　日本語母語話者でこのような問い合わせをしなかった者は6名いたが、「10日はお休みをいただいて、次の日から登校してもよろしいでしょうか。J001」のように代案を述べることで問い合わせる者も見られた。ドイツ母語話者の1名も同様の代案であった。

5.3.3　終了部に見られた表現

　終了部に見られた表現のうち、構成要素の「読み手配慮」「返信要求の依頼」「返信要求のない依頼」「お礼」「その他(謝罪・希望等)」の箇所を見る。表9はその結果である。

＜表9＞　終了部に見られた表現 (表4の終了部より)

	A 日本語母語話者 日⇒日 30名		B ドイツ語母語話者 独⇒日 30名		C ドイツ語母語話者 独⇒独 21名	
読み手配慮	9		10		0	
返信要求の依頼	10	26	14	21	3	4
返信要求のない依頼	16		7		1	
お礼	0		1		10	
その他 (謝罪・希望等)	1		1		9	

　このタスクにおいて、指定日に行けない場合の対処方法について返事が欲しい場合、Aでは返信要求の依頼の「ご返信よろしくお願いいたします。J026」や返信については問わず単なる依頼の「よろしくお願いします。J006」の表現が見られた。Bも同様である。この「返信要求の依頼」と「返信要求のない依頼」を合わせて、Aは26名、Bは21名いた。ただし、返信要求の場合、Aの場合は「ご返信よろしくお願いいたします。J026」のように「返信」に「お願い」を加えるため1文のみであるが、Bの場合は、「お返事をお待ちしております。よろしくお願いいたします。G014_SPOT74」のように2文になるという違いが見られた。

　Cのドイツ語のメール文を見ると、"Ich freue mich auf Ihr Rückschreiben."（返信をお待ちしております　D007）という返信要求の表現が3名に見られた。一方返信要求をしない場合では、"Ich bitte Sie um Unterstützung bezüglich der nächsten Schritte."（私は次のステップに関するサポートをお願いします。D004）という表現が1名のみ見られた。したがって、メール文の終了部で何らかの依頼をすることは必須ではないと言えそうである。

　Aの日本語のメール文では「返信要求の依頼」「返信要求のない依頼」が合わせて26名いることから、日本語では問い合わせに加え返信の依頼をすることが慣例であると言える。また、Bも21名が依頼表現を用いており、日本語らしい表現を選択したと言えるだろう。

　そのような依頼をする際、「読み手配慮」の表現として、Aでは9名が「お手数ですがJ003」や「お忙しいところ大変恐縮ですがJ021」のような表現を用いた。Bでは10名が依頼表現の前に「ご迷惑をおかけしてしまって申し訳ございません。G025_SPOT66」のような表現を用いて、読み手に対する配慮を示した。特に「迷惑をかける」や「申し訳ない」を用いたものが10名中6名いた。しかしながら、「〜が」を用いて「お手数をおかけしますが、よろしくお願いいたします。G029_SPOT83」のように使った者は1名のみで、それ以外は前置きの「〜が」を使用しなかった。Bが「読み手配慮」の表現を用いていることから、Cのドイツ語メールの終了部を見てみたが、日本語のような表現は見られなかった。その代わりに、メール文の「終わりの挨拶」の前に、謝罪や希望などの表現がいくつか見られた。例えば、"Bitte entschuldigen Sie die Umstände."（状況を許してください。D002, D017）、"Ich hoffe Sie können mir weiter helfen."（あなたが私を助け続けることを願っています。D001）などである。Bが「迷惑をかける」や「申し訳ない」を使用して、読み手配慮を示そうとするのは、"Bitte entschuldigen Sie die Umstände."という表現に近いからではないだろうか。

　終了部の「お礼」において、Cのドイツ語のメール文では "Vielen Dank im Voraus."（事

前に感謝します。D006)、"Für Ihre Hilfe wäre ich sehr dankbar." (ご協力に感謝します。D001)のような表現が 10 名見られた。日本語ではまだ実現していないことに対してはお礼を言うことはあまりないが、ドイツ語の場合協力してもらうことを想定して先にお礼を言うようである。Bにおいて 1 名のみ「その問題を手伝っていただけないでしょうか。<u>ありがとうございます。G026_SPOT72</u>」を用いた。これは母語の影響である可能性が高い。しかしながら、本研究の対象者は終了部においてお礼を言う者がほとんど見られないことから、このタスクを作成できるレベルになると、日本語ではお礼を言わないということを知っていると言える。

5.4 考察 2：各構成要素に見られた表現の比較

　各構成要素に見られた表現について、本研究では触れていない構成要素も含め、特徴的な表現をまとめると、表 10 のようになった。

＜表 10 ＞ 結果のまとめ

	構成要素	A 日本語母語話者	B ドイツ語母語話者
開始部	宛名	「スタッフ様」「〜担当者様」と書く	「〜へ」と書く
	挨拶	「こんにちは」	「拝啓」「こんにちは」
	名乗り	名前を言う前に関係や所属を言う	名前を述べた後で関係や所属を言う
主要部	連絡理由	「相談 / 質問 / 伺いたいことがあり＋連絡 / メールしました」という表現で切り出す	「問題がある」という表現で切り出す
	前提情報	「大学の開始日」について言う	「大学の開始日」について言う
	出席不可能の理由	「大学で試験がある」ことを述べる	「大学で試験がある」ことを述べる
	出席不可能の伝達	「〜ことができない」を使用	可能形を使用
	問い合わせ	「どう〜ばいいか」「どう〜ばいいか教えて〜」の両方を使用する	「どう〜ばいいか」の使用が多い
	代案	4 月 11 日以降ならいけることを述べる	4 月 11 日以降ならいけることを述べる

終了部	読み手配慮	「お手数ですが」「お忙しいところ…」を使用する	「〜が」を用いた前置きではない。「迷惑をかける」という表現を用いる
	返信要求の依頼	「返信をお願いする」という表現を用いる	「(返事)を待つ」という表現を用い、「よろしくお願いします」を添える
	返信要求のない依頼	「よろしくお願いします」を用いる。	「よろしくお願いします」を用いる。
	挨拶	特になし	「敬具」を用いる
	署名	名前を書く者が少ない	名前を書く者が多い

　考察1では、A日本語母語話者による日本語メール文と、Bドイツ語母語話者による日本語メール文では、構成要素において大きな差が見られないことから、本研究の対象者である日本語学習者は、「問い合わせ」に必要な構成要素を用い、日本語の書き方にならってメール文を作成していると述べたが、各構成要素に見られる具体的な表現を比較すると、違いが見られた。そこで、指導上、特に注意したほうがよいと思われる表現について、考えてみたい。

　まず、「宛名」の書き方である。Bが「〜へ」を用いた理由として、日本語の手紙文を紹介した日本語教科書を真似たということが考えられる。例えば『初級日本語げんきⅠ』(2011, 309) では、旅行のはがきにおいて「みちこさんへ」のように「〜へ」を用いた宛名となっている。このような日本語教科書はほかにも見られる。相手との関係によって使い分けるという指導を受けなければそのまま使う可能性がある。このような宛名書きをすることで、成人であっても幼稚に見られることもありうるため、指導が必要である。

　次に、「連絡理由」を伝える際に、Bドイツ語母語話者には「問題がある」という表現を用いる者が見られた。前述したように、通常日本語において「問題がある」という表現は大きな事件について言う時か、相手を咎める時に用いると思われる。山岡・牧原・小野 (2010, 216) によれば、このような「誤用は人格問題と誤解され、対人関係を損なう危険性がより高くなる。その意味で、上級者ほどより注意深く避ける必要のある誤用」であるということである。学習者に安易に「問題がある」と言わないように指導する必要がある。この場合、ドイツ語の "Bei mir ist ein kleines Problem aufgetreten." の影響による可能性があり、それを指摘すれば、コミュニケーション上のトラブルは回避できると思われる。

　また、「出席不可能の伝達」では、A日本語母語話者が「〜ことができない」を使ったのに対し、Bドイツ語母語話者は可能形を多く使用した。松岡・庵・高梨・中西・山田 (2000,

83) では、「可能形と「〜ことができる」は、微細な違いを除けば、ほとんど相互に言い換え可能であり意味もほとんど変わらない」としている。しかしながら、A日本語母語話者が可能形を使用せず多くが「〜ことができない」を使用した。その理由として1つは事務宛のメールであるため、やや固い表現にするため書き言葉的な「〜ことができる」を選択したのではないかということである。もう1つは可能性の度合いである。このタスクの場合、自分のせいで来日できないのではなく、大学の予定によるものであり不可抗力である。そのような場合は「〜ことができる」を使用するのではないかと考えられる。日本語母語話者は実際の場面では可能表現の使い分けをしているようである。これらの違いについてはさらに用例を集め、再考する必要があるだろう。Bドイツ語母語話者が「可能形」を選択した理由については、本研究の対象者は中級以上であったため、初級で先に学ぶ辞書形ではなく、中級だからこそ活用で負担のかかる可能形を選択したのではないかと思われる。

　最後に、「問い合わせ」の仕方についてみる。Bドイツ語母語話者がA日本語母語話者と同様に「どうすればいいでしょうか」と相手に判断を委ねる言い方を用いていた。金庭 (2018) では、本研究と同じ「問い合わせ」のタスクを韓国語母語話者 10 名に与えた結果を報告しているが、韓国語母語話者の場合「どうすればいいかわかりません」「どうしたらいいかお聞きしたい」のように「わかる」「聞く」「教える」といった動詞を用い埋め込み文とし、自分の状況を説明するものが 10 名中 7 名に見られ、相手に判断を委ねる問いかけは 1 名のみであった。一方、本研究の対象者であるBドイツ語母語話者は相手に判断を委ねる表現を選択していておりA日本語母語話者の使用と類似している。これは母語の影響ではなく、学習の過程でその表現に気付き、多くのドイツ語母語話者が使用できるようになったという点で興味深い。指導の際、どのような学習者であっても問いかけをして、相手に判断を委ねる表現があることを教えておけば役に立つのではないだろうか。

6.　おわりに

　本研究では、これまであまり研究の行われていない「問い合わせ」についてのタスクを扱ったが、本研究が対象とした日本語を学ぶドイツ語母語話者は、母語でのメールの構成要素とは異なり日本語母語話者と同様の構成要素を用いて、メールを作成することがわかった。具体的な表現でも母語の影響を受けずに日本語母語話者と同様に、相手の判断を委ねる表現を用いて問い合わせをすることがわかった。一方、問い合わせの際に出席困難であることを伝えるために、日本語母語話者は「〜ことができない」を用い、ドイツ語母語話者は可能形を

用いていた。日本語で問い合わせのメールが書けるレベルの学習者であっても、可能表現の使い分けには不自然なところが残るため、明示的な指導が必要であることがわかった。また、ドイツ語母語話者は「連絡理由」のための表現として「問題がある」を用いた。これは安易に用いると対人関係を損なう可能性があると考えられる。こうした誤用の原因として母語の影響、学習者の語彙力不足、こうした表現に対する教師の指導不足などが考えられるが、本研究のような対照研究をさらに行い、指導の一助とする必要がある。

　今後もさまざまなメールタスクを用意して、各言語のデータを収集し比較を行い、研究を進めていきたい。また、これらの結果に基づき、指導方法を検討していきたい。

参考文献

王玉明・聞芸 (2015).「電子メールによる依頼行動に関する日中対照研究—ディスコース・ポライトネス理論の観点から—」『東アジアへの視点』12月号, 53-59. アジア成長研究所.

大友沙樹 (2009).「電子メールにおける依頼のストラテジー —日中対照の観点から—」『国際文化研究』15, 61-72. 東北大学国際文化学会.

金庭久美子 (2016).「作文教育における体裁の指導の必要性—日本語学習者の作文・メールの体裁の調査より—」『ことばの本質を求めて　小出慶一教授退職記念論文集』埼玉大学教養学部リベラル・アーツ叢書別冊1, 158-169.

金庭久美子・金玄珠 (2016).「韓国における日本語学習者のメール文の特徴—メール文の開始部と終了部の表現に注目して—」『日本語學研究』50, 3-19. 韓國日本語學會.

金庭久美子・金玄珠 (2017).「メール文における挨拶表現−韓国における日本語学習者のメール文調査から−」『横浜国大国語研究』35,138-150. 横浜国立大学国語国文学会.

金庭久美子 (2018).「メール文の自動評価に向けて—メール作成タスクの検討—」『日本語・日本語教育』1, 37-53. 立教大学日本語教育センター.

金蘭美・金庭久美子・金玄珠 (2018).「韓国人日本語学習者の断りのメール文の特徴—読み手によい印象を与えない表現を中心に—」『日本語學研究』55, 3-18. 韓國日本語學會.

嶋田みのり(2013).「日本語の「誘い」場面におけるＥメールの談話構造と表現形式—母語話者と中国人学習者の分析を通じて—」『創価大学大学院紀要』35, 217-242. 創価大学.

松岡弘(監修) 庵功雄・高梨信乃・中西久実子・山田敏弘 (2000).『初級を教える人のための日本語文法ハンドブック』スリーエーネットワーク.

濱田美和・古本裕子・桑原陽子・深澤のぞみ (2013).「中国人留学生と日本人大学生の断りのEメールの比較」『人間発達科学部紀要』8(1), 221-233. 富山大学.

坂野永理・池田庸子・大野裕・品川恭子・渡嘉敷恭子 (2011).『初級日本語げんきⅠ』ジャパンタイムズ.

宮崎玲子 (2007).「電子メールにおける依頼の展開構造—日本人母語話者とタイ人日本語学習者の対照研究—」『日本語・日本文化研究』17, 175-184. 大阪外国語大学日本語講座.

矢田まり子 (2014).「ビジネスメールに表れる配慮表現の比較」『言語と文化』8, 61-76. 京都外国語大学.

山岡政紀・牧原功・小野正樹 (2010).『コミュニケーションと配慮表現—日本語語用論入門』明治書院.

吉田さち(2009).「韓国人日本語学習者のメール文における『断り』—日本語母語話者との比較を通じて—」『日本語学習者による言語運用とその評価をめぐる調査研究:「日本語能力の評価基準・項目の開発」成果報告書』129, 259-280. 国立国語研究所.

李佳盈 (2004).「電子メールにおける依頼行動：依頼行動の展開と依頼ストラテジーの台日対照研究」『言語文化と日本語教育』28, 99-102. お茶の水女子大学.

李善姫・金周衍 (2016).「韓国人日本語学習者のEメールにおける依頼行動—日韓両言語話者との比較を通して—」『日本語文学』69, 43-63. 韓国日本語文学会.

WORASRI, Kulrumpa (2012).「留学経験がないタイ人日本語学習者の語用論的能力の分析(1)—断りメールの構成から—」『国際交流基金バンコク日本文化センター日本語教育紀要』9, 39-48. 国際交流基金バンコク日本文化センター.

質問意図からみる「どう・どんな質問」の
効果的な発話抽出方法の提案

―OPI テスター訓練生のインタビューから―

濵畑靜香 (皇學館大学)

持田祐美子 (平沢大学)

要旨

　本稿では OPI テスター訓練生による中・上級インタビューの「どう・どんな質問」に注目し、特に「質問意図」という観点で調査を試みた。OPI での効果的な発話抽出のためには、テスターの効果的な質問が必須であるが、数ある質問形式の中でも「どう」「どんな」を含む質問 (以下、「どう・どんな質問」) は、文・段落レベルまで発話の抽出が可能なので、レベルチェックや突き上げにも用いやすく、特に中・上級の発話抽出において有用な質問形式である。調査の結果、「どう・どんな質問」が発話を促す質問として具体的な情報を効果的に引き出すという面が見られたが、一方で被験者の能力が十分に引き出せない事例も見られた。効果的に発話を抽出するには、質問意図を維持して被験者の回答に流されないよう注意するべきことや、段落レベルの発話を抽出したい場合には、本人に直接関係のある話題を避けること、共起することばに留意することなどが確認できた。

キーワード：OPI、質問意図、どう・どんな、発話抽出

A suggestion for an effective utterance extraction method by "Dou/Donna" questions from the viewpoint of question intention

With the interviews of the OPI tester trainees

Shizuka Hamabata (Kogakkan University)

Yumiko Mochida (Pyeongtaek University)

Abstract

In this paper, researchers focused on "Dou/Donna questions" in the interviews of middle/advanced by OPI tester trainees, especially trying to investigate from the viewpoint of "intention of trainees question". An effective question of the tester is indispensable for effective speech extraction in OPI. Moreover, among the many question formats, the question that includes "Dou" and "Donna" is a useful question format especially for middle and advanced speech extraction. Because it is possible to extract utterances up to sentence/paragraph level, it is therefore easy to use for Level Check and Probes. As a result of the investigation, "Dou/Donna" questions effectively brought out specific information as a question to urge the utterance, on the other hand, there were cases where the informant's ability was not sufficiently drawn out. Investigations into "Dou/Donna" questions have revealed that in order to effectively extract speech, keeping the intention of the question during the OPI without being concerned by the informant's response is vital. Moreover, to extract paragraph-level utterances, avoid topics that are directly related to the individual information, paying attention to co-occurring words, and so on.

Keywords: OPI, Intension of question, "Dou/Donna", Utterance extraction,

1. はじめに

ACTFL-OPI (Oral Proficiency Interview) の目的とは、「外国語学習者の会話のタスク達成能力を、一般的な能力基準を参照しながら対面のインタビュー方式で判定する」(牧野他, 2001) ことである。その「判定」のために必要な発話を抽出するべく、テスターは様々な質問を駆使するが、文や段落レベルの発話を引き出したい場合は、疑問詞「どう」「どんな」の類が含まれる質問 (以下、「どう・どんな質問」[1]) を使用することが有効な手段として挙げられる。「どう」や「どんな」は指示範囲が広い疑問詞である (清水・板井, 2011) ために様々なレベルの被験者に使用できるという利点を持つが、テスターが被験者の上限を見極めるために想定したレベルの発話抽出ができない (または、ずれた回答が引き出されてしまう) こともあり、有用でありながら使用が難しい質問形式でもあると言える。

以上のことから、「どう・どんな質問」について調査・考察し、これらに対する知見を深めることはOPIテスターにとって有益であり、今後のOPI研究の発展に寄与すると言えよう。

本研究では、より課題点が見つかりやすいと考えられるOPIテスター訓練生[2] (以下、訓練生) が行ったインタビューを調査材料とし、新たに「質問意図」という概念 (後述) を設け、被験者から発話を引き出すための効果的な質問とは何かを探った。また、質的な調査・考察から、「どう・どんな質問」を使用する際の注意点が浮き彫りになった。

2. 先行研究

「どう・どんな質問」に関する研究として、清水・板井 (2010, 2011) が挙げられる。これらの研究によって「どう・どんな」質問は答え得る回答が多様すぎるために、被験者が答えに窮することがあるという点や、「どんなN」のNが抽象的である場合には、被験者の回答が文として抽出されやすいが、Nが具体的である場合は、回答が名詞や形容詞だけで終わる「一語文」で抽出されやすいことなどが明らかになった。また、初級者は話の流れがつかめていないと適した答えができないという。つまり、質問意図を読み取る能力と回答レベルに相関性があるということになる。

上記のように、「どう」「どんな」は指し示す範囲が広い疑問詞なので、様々なレベルの被験者に対する発話抽出で効果的に使用できる一方、テスターが意図したレベルの発話が抽出できない可能性も高く、使用が難しい質問である。よって、「どう・どんな質問」の使用を

---

1)「どういう」「どのように」「どのような」など、類似する形式を含む。

2) 本稿では OPI テスター資格認定に向けてインタビューの訓練を受けている個人を指す。

考察することはOPI技術の向上と今後の研究において必要であると言えよう。

3. 調査

3.1 データの概要

　訓練生[3]のインタビューにおける「どう・どんな質問」について、その使用の難しさと対処法を探ることを目的とする。調査対象は、訓練生による中・上級被験者とのインタビューの音声ファイルおよび文字化ファイル（表1）である。なお、この訓練生たちは2014年に韓国OPI研究会主催で行われた「ACTFL-OPI試験官養成ワークショップ」の受講生であり、その関係上、被験者は2人（C10=ベトナム語、C25=中国語）を除き、すべて韓国語母語話者である。本研究では訓練生の質問に焦点を当てているため、被験者の母語はあえて統一しなかった。収録期間は2014年9月から2015年7月である[4]。

＜表1＞　データ情報

中級	訓練生	T1			T2			T3			T4	T5			計13件
	被験者	C1	C2	C3	C4	C5	C6	C7	C8	C9	C10	C11	C12	C13	
	下位レベル	上	中	中	上	上	上	中	下	中	中	上	上	上	
上級	訓練生	T1				T2			T3				T4	T5		計13件
	被験者	C14	C15	C16	C17	C18	C19	C20	C21	C22	C23	C24	C25	C26		
	下位レベル	中	中	下	下	上	上	中	下	中	下	下	下	上		

3.2 調査方法

　本研究では、効果的な発話抽出ができている場合とそうでない場合について訓練生側の質問意図と被験者側の回答との関係に注目し、調査データを質問の意図別に再分類した。インタビューに熟達したテスターは、自分の経験に則り抽出したいレベルの回答を引き出すために自分がどんな質問ができるかわかるだろうが、インタビューに不慣れな訓練生が抽出したいレベルの回答を引き出すために、質問の種類や方法を決めながら発話するのは難しいものである。例えば、「どう・どんな」＋「思う」という質問は以下に示す表2のように、感想を表明させたいときだけでなく、意見を叙述させたいときにも使う。前者は一般的に文レベ

---

3) 訓練生5名は全員女性、収録時点でT3は20代、他は30代である。対象データは訓練期間のものである。
4) ただし、データの文字化および集計は2017年3月〜4月に行った。

ルの発話の抽出となり、後者はそれ以上の発話が期待できる。つまり、形式だけでは上述のようなインタビューの難しさの解決・解明に至ることはできない。以上のことから、効果的な発話抽出のためには質問の意図 (以下、質問意図) に注目するのが有効ではないかと考えた。

OPIを含め、自然な会話において人は発話の形式以上に意図に注意を払い、その上で談話を進めていくものである。本研究における「質問意図」とは、次のような意味を持つ：

> 「質問の"形式"に拘らずテスターが被験者に対してどういう発話を抽出したくて質問しているのかというテスター側からの質問意図」

当然のことながら、それは聞き手 (被験者) にとってどのような意図で質問されているように聞こえるかということでもある。質問意図の詳細を表2に示す。

<表2>　質問意図とその例

質問意図	例
語彙説明 [5]	「試験を見るっていうのはどういうことですか？ん？見る？」
モノの詳細説明	「どんな食べ物ですか？」「どんな街ですか？」「どんな人ですか？」
コトの詳細説明	「どんなお仕事ですか？」「どんな授業ですか？」「どんなニュース？」
段階や方法説明 [6]	「どうやって遊ぶんですか？」「どんなスケジュールでしたか？」
問題解決方法説明	「そのためにどんなことをするのが効果的だと思いますか？」
比較説明	「その2つはどう違いますか？」「比べてみるとどうですか？」
仮定結果説明 [7]	「雨が降らないとどういう変化が起こりますか？」
視覚情報の描写	「その岩のまわりとかどんな風に何がどうなっていますか？」
ストーリー叙述	「どんな内容ですか？」「結末ってどうなるんですか？」
立場表明	「××××さんはどうですか？」
考え明示	「それについてはどう思いますか？」「そういう意見についてはどうですか？」
展望意見陳述	「これからどんなことが必要になってくると思いますか？」
感想表明	「日本の食事はどうでしたか？」「それを読んでどう思いましたか？」

5)「語彙説明」は、例えば、被験者の言った語彙がわからないときに説明させるというようなもの。「TPPとはどんなものですか？」のようなものは「コトの詳細説明」に入れる。
6) 一日の出来事や旅行の予定などは順序通りに話すという点から「段階や方法説明」に入れる。
7)「仮定結果説明」は「そのボタンを押すとどうなりますか？」など。主に「どうなる」系統の質問に多い。

　上述した点であるが、「考え明示」と「感想表明」にはどちらも「どう思いますか (思いましたか)」がある。単純に主観的な感情に基づく感想を尋ねるものであれば「感想表明」に、ある問題についての被験者の考えを尋ねるのであれば「考え明示」に分類した。

　また、質問に対する被験者の回答を『ACTFL-OPI試験官養成用マニュアル』(牧野, 1999) にしたがい、「単語・句」「文」「段落」「複段落」の4つに分類した。さらに本研究では、「文」は長さや構成に差がみられたので「単文」「単文の羅列」「複文」の3つに下位分類した。

　なお、質問意図と回答レベルはどちらも明白な境界線のあるものではない。質問意図は曖昧に思えるものもあり、また、回答レベルは、特に会話では判断しにくいものがあるのが現実である (牧野, 1999)。判断が難しいものは、便宜上、筆者ら2人に加えてテスター資格のある2人の協力を仰ぎ、テスター有資格者4人の判断によってそれらを決定した。

4. 結果および考察

　「どう・どんな質問」の各質問意図の延べ出現件数は表3の通りとなった。

＜表3＞　各質問意図の延べ出現件数 (中級件数、上級件数)

語彙説明　　　　　 2(2, 0)	問題解決方法説明 12(8, 4)	ストーリー叙述 13(3, 10)	感想表明 14(8, 6)
モノの詳細説明　 57(44, 13)	比較説明　　　　 10(6, 4)	立場表明　　　　 1(0, 1)	332件13種類 (162, 170)
コトの詳細説明 125(60, 65)	仮定結果説明　　 5(4, 1)	考え明示　　　 28(4, 24)	
段階や方法説明　 30(17, 13)	視覚情報の描写　 11(6, 5)	展望意見陳述　 24(0, 24)	

　「モノの詳細説明」57件と「コトの詳細説明」125件が目立って多い。中・上級ともに、物事を説明させる質問が多く用いられるのがよくわかる。なお、「コトの詳細説明」は中・上級の差があまり見られないが、「モノの詳細説明」は中級44件、上級13件と中級での出現が多い。上級では抽象的な質問が比較的多いことから、「モノの詳細説明」の出現が少ないものと考えられる。質問意図を通して見ることで、他にも「考え明示」や「展望意見陳述」で中級と上級の差が明確化した。この「級によって差が明確化した」という結果は、訓練生が未熟ながらも級により質問の内容を変えていたことが確認できたという結果でもある。

　また、表3に加え、質問への被験者の回答レベルについて量的な考察を試みた。集計結果から、概ね中・上級話者の基準通りの発話 (中・上級ともに物事の説明に文レベルで発話、上級は段落や複段落の発話も見られる) がされていることがわかった (表4)。つまり、表3

と同様、この結果も各レベルの被験者に求められることが数値として表れ、基準通りに判定されたということになる。「質問意図」という観点からの観測の有効性を裏付けるものと言えよう。

<表4> 被験者の回答レベル別発話数

	単語・句	単文	単文の羅列	複文	段落	複段落	合計
中級	11 (6.8%)	58 (36.0%)	4 (2.5%)	65 (40.4%)	23 (14.3%)	0 (0.0%)	161 (100.0%)
上級	1 (0.6%)	22 (13.8%)	1 (0.6%)	68 (42.5%)	58 (36.3%)	10 (6.3%)	160 (100.0%)
総計	12 (3.7%)	80 (24.9%)	5 (1.6%)	133 (41.4%)	81 (25.2%)	10 (3.1%)	321 (100.0%)[8]

4.1 量的考察

4.1.1 集計結果および考察－中級被験者が「単文」以下の回答をするとき

　中級の回答161件のうち「比較説明」に特徴が見られた。「比較説明」は全6件見られたが、回答レベルで見ると「段落」2件、「複文」2件、「単文」「単文の羅列」各1件と、回答レベルが多岐に及んでいる。その一因には質問の仕方に関係があるように見られた。本研究においては、「どうですか」より「どう違いますか」のほうが的確に比較説明の意図伝達がなされており、回答を導き出していた。これは後述する4.2.1の質的考察も密接に関連する。

　また、回答レベルが「単語・句」全11件のうち、「モノの詳細説明」3件、「コトの詳細説明」6件、「段階や方法説明」1件、「感想表明」1件であった。「どう・どんな」と共起する語は「ゲーム」「バイト」「計画」など、単語だけで十分に回答となるものが多かった。上述の先行研究で清水・板井(2011)が「どんなN」のNが抽象的である場合には答えは文になるが、Nが具体的である場合には答えが一語文になることを指摘しており、本研究でもそれを裏付ける結果が見えたことになる。こういった共起する語を持つ質問の場合、文レベル抽出のためにフォローとなる質問が欠かせない。例えば、「そのゲームはどんな世界を設定していますか？」などの質問ができるだろう。これは、後述の上級において単文の回答が現れた「モノの詳細説明」の特徴とも一致する。

　また、「町」については三浦(2017)に詳しい。「どんな町」なのかを尋ねる質問は漠然と

---

8) 質問発話数332に対して、回答レベル別発話数が321と数値に差異が生じているのは、訓練生が立て続けに質問したことで、最初の質問に対する被験者の回答がなかったものや、訓練生による質問はあったが、その質問に対する回答がなかったものなどは、回答レベルの分析対象外にしたためである。4.1.1および4.1.2内の数値もこれらを除いた数値である。

しすぎているので、一番好きな場所を聞いた後、その場所について話させる聞き方のほうが効果的だと述べている。漠然とした質問とは何かという考察は今後の課題となろう。

4.1.2 集計結果および考察－上級被験者が「単文」以下の回答をするとき

上級の回答160件のうち「単語・句」1件、「単文」22件、「単文の羅列」1件、つまり、複文未満の回答が24件あった。上級は「複文」や「段落」レベルでの回答が多いという確認に加え、上級でも複文未満の回答が出ることがわかる。その24件のうち「コトの詳細説明」は10件、その中の6件が「仕事」「部署」に共起、あるいは共起する語は違っても、学科や仕事を意味していた。上級被験者でも自分の所属に関しては長く話さないことがうかがえる。所属に関しての質問は文で話せることが明らかな話者には不要だとも言えるだろう[9]。

また、単文回答の「モノの詳細説明」は3件で、うち2件が「本」「ジャンル」に共起していた。つまり、「どんな本ですか」「どんなジャンルですか」という質問では、例えば「人間関係の本です」「SFです」のような回答であった。もし、テスターがストーリーを叙述させたいと思って質問をするのであれば、上記のような質問ではなく「結末はどうなりますか」といったような質問ができるだろうし、上記のような質問を先にした場合には「特に好きな作品のストーリーについて教えてください」などのフォローとなる質問ができるだろう[10]。

4.2 質的考察

「どう・どんな質問」について 質問意図との関連性が見える非効果的な発話抽出の例を、中・上級合わせて質的に考察した。結果、(1)文脈依存度が高く誤解が生じる場合、(2)「思う」と共起する場合、(3)連続質問が1つ目の質問の効力を打ち消す場合、の3つが確認できた。

---

9) あくまでも「文レベル」の発話が十分にできるとわかった場合に不必要であり、上級話者に所属の話をさせるのが失敗ということではない。例えば、ウォームアップ時の話題集めとしては効果的であると考える。
10)24件中、残りについては「感想表明」1件、「立場表明」1件、「考え明示」1件、「段階や方法説明」2件、「比較説明」2件、「展望意見陳述」が4件であった。「展望意見陳述」の4件は、3件がブレイクダウンや不十分な回答で、1件が会話内容のすれ違いによる単文の回答である。上級レベルの被験者に対する突き上げに適していると言えよう。

4.2.1　文脈依存度が高く誤解を生じる場合

＜表5＞　談話例1　T5-C11　中級‑上

106	T5	じゃ、今、えーっと＜都市A＞に住んでいて、で、地元が＜都市B＞で、うん、そうね、住む点から比較して、どうですか？＜都市B＞と＜都市A＞と。【比較説明】
107	C11	まあ、そっちはここよりもっと田舎なので。
108	T5	どっちが田舎？
109	C11	＜都市B＞のほうが、はい。
110	T5	＜都市B＞が田舎。
(111～115) 省略		
116	T5	他には？環境とかどうですか？【コトの詳細説明】
117	C11	天気のいい日は空気はいいですね。
118	T5	あー、そうですか。
119	C11	＜都市B＞がいいことは空気とか、田舎ですから。それと、そっちにはテーマパークじゃないんですけど、プールとかあります。

　この例では、T5が106で都市Aと都市Bの住居面を比較説明させる質問をし、116で「他には？環境とかどうですか？」と環境面での比較説明を求めている。しかし、「環境とかどうですか？」という質問自体は比較説明の意図が明示されず、単に「コトの詳細説明」を求める質問に聞こえてしまうため、C11は都市Bについて述べ始め、都市Aとの比較説明はしていない。テスターは最終的な判定を中級の上としていることから、この被験者が都市Aと都市Bの環境の違いをまったく話せないとは考えにくい。テスターの質問の仕方が不適切であったと言えよう。このように、比較説明の質問をした後に追加で比較説明を求めるとき、比較説明であるという質問意図を明示・強調せず、文脈に依存した質問をしてしまうと、被験者に誤解される可能性があることがわかる。次の表6は同じように文脈に依存した質問をしてしまい、被験者が一方の説明しかしなかったが、効果的に軌道修正が行われた例である。

<表6> 談話例2 T1-C14 上級 - 中

62	T1	その２つの湖は何か違うところがあるんですか？
63	C14	そうですね、チョンプンというところは、そこは別のところと川もつないであるし、もう交通の場として変わっていたのもありますけど、(中略) 昔の人ならいろんなことを考えてこういう湖を作ったとかそういうのを考えるのに結構いいですね。
64	T1	その見た目はどうですか？【視覚情報の描写】
65	C14	見た目は結構、まあ見るにはいいんですよ、丸い感じです。まあ、丸な感じで。
66	T1	(さえぎって) その２つはどう違いますか、見た目は。【比較説明】その丸いのはどっちですか？
67	C14	ウィーリムチのほうはもう人為的に作られた場所なためか、まるい、ほとんど丸い感じです。川、流れてる川を大きな、大きな木でうめて、で丸い感じにした感じですけどチョンプンホ、そっち、チョンプンの湖はもう普通にもともと普通に流れてる川ですけど、なんかそこだけ深くなって、たまったような人為的なところが少しも見られない感じです。

　62でT1は、「その２つの湖は何か違うところがあるんですか？」と比較説明を求めている。続いて64で「その見た目はどうですか？」と質問を追加したが、回答は比較ではなく、片方の湖の特徴を簡単に述べるにとどまった。64の質問は会話の文脈から湖の視覚的特徴について比較を要求する質問だと推測できるが、これだけでは描写のみを求めているようにも解釈可能なため、表5と同様に被験者との間で質問意図の捉え方に違いが生じてしまったと考えられる。そこで、T1は66で「その２つはどう違いますか、見た目は。」と質問をさらに追加し「比較説明」へと軌道修正した。それによりC14は67で比較説明の回答に達した。

　このように、文脈に依存した質問は、(それ自体が非効果的とは言えないが) 被験者がテスター側の質問意図を汲み取ることができず、テスターが抽出したい発話とは別の回答をする可能性があることがわかるが、そういった事態になってしまったときでも、適宜フォローを入れることによって当初の質問意図へと軌道修正をすることができる。それと同時に、フォローを入れることが必要かどうかの判断には、当然のことながら被験者の回答をよく聞き、被験者の回答の内容を理解し、タスクとしてクリアできているのかどうかの判断が必要である。次にどんな質問をするべきかが頭の中を占領している状態では、フォローが必要であるかの判断もできず、テスター自身が明確な意図を持って質問をすることができないだろう。

4.2.2 「思う」と共起する場合

＜表7＞ 談話例3 T1-C1 中級 - 上

112	T1	じゃそれで今、何、どんなことが問題になっているかはわかりますか？【コトの詳細説明】
113	C1	いや、問題というか、まあ悲しいという感情ですかね。子どもがもうすぐ生まれるのにシングルマムじゃないですか。だからそれとか、まずその前に人が死んだということだから、どんな問題というより悲しい感情ですかね。
114	T1	じゃ、C1さんはそれに対して悲しいというだけ以外にどんなことを思いましたか？【感想表明】
115	C1	最近ぼくは運転免許をとるじゃないですか。そのためにちょっと今日多く怒られ、あ、怒られてじゃない、先生に多く言われたんですけど、ちょっと響いちゃいましたね、先生がたとえばアクセルを踏むと速く行くんですけど車が、それをその、よく踏まなかったり、まあちょっと事故に合うかもしれないという不安感ができてますね、今。

　112でT1が「今、何、どんなことが問題になっているかはわかりますか？」と「コトの詳細説明」を求める質問をしたが、C1はそれには触れず、「悲しい」という感情のみを述べた。そこでT1は質問を追加(114)したが、質問意図が「感想表明」であったために、C1自身の体験やその感想の抽出で終わってしまった。この例のように、求める回答が引き出せなかった場合、テスターは被験者が答えやすい質問へと流れてしまうのではなく、当初の質問意図を貫き、ブレイクダウンかどうかを見極められる質問を続けるべきである。加えて「感想表明」は、個人の感想にとどまってしまうため、上級への突き上げとしては不適切であるとわかる。

　この点に関し、渡辺(2010)は、「どう思いますか。」という表現は解釈が多種多様で、必ずしも裏付けのある意見の叙述にならないことがあると指摘しているが、同じ「どう思いますか」という表現形式を使っても質問意図が適切なら効果的な質問となることもある(表8)。

＜表8＞ 談話例4 T4-C25 上級 - 下

137	T4	で、やっぱりその伝統文化という点では京都と伊勢と共通点があるそうですよね。で、やっぱり日本人でもその文化を守るということをすごく大事なんですけれども、(中略)。で、その文化を守るということについてはどう思いますか？【考え明示】
138	C25	やはり、とても大事なことだと思います。もし文化を守らなかったら、自分の国の特別な、あの、他の国とは違うものを持ってなかったら、国民も心の頼りとか安心できるところ部分もなくなるじゃないかなと。

137で2つの相対する立場を示し、それに対する意見を求める「考え明示」の意図で質問したため、一方の立場を支持しその根拠を述べる発話を被験者から引き出すことができた。

この2つの例から、「どう思いますか」という形式の使用にとらわれるより、テスター側が明確な質問意図を持ち、それを被験者に明示することの重要性がうかがえる。

4.2.3 連続質問が1つ目の質問の効力を打ち消す場合

＜表9＞ 談話例5 T3-C7 中級 - 中

| 78 | T3 | あーそうですか、じゃあその映画の結末はどうなるんですか？【ストーリー叙述】ハッピーエンドですか？ |
| 79 | C7 | そうですね、ヘッピーエンドですね。 |

T3は78で「じゃあその映画の結末はどうなるんですか？」と質問し、「ストーリー叙述」をさせようとしている。しかし、この「どう・どんな質問」の直後に「ハッピーエンドですか？」と、「はい／いいえ疑問文」で立て続けに質問をしたため、C7は後者の「はい／いいえ疑問文」にのみ答えている。つまり、78の2つ目の質問を追加することで、1つ目の「どう・どんな質問」の効力が打ち消されてしまったと言える。加えて、「ハッピーエンドですか？」という質問は意図が見えない。そして、もし叙述をさせたいという意図を持っているのであれば不適切であろう。連続して質問をする場合は、最初の質問意図を維持するべきであり、被験者の回答レベルを下げるものであってはならないことがわかる。

一方で、連続質問は2つ目の質問が1つ目の質問に影響を与えるという意味で効果的にもなる。次は2つ目の「どう・どんな質問」が1つ目の質問意図を補強している例である。

＜表10＞ 談話例6 T4-C25 上級 - 下

| 204 | T4 | 今後、その子どもたちを教育していくためには、そういうマナーとかですね、そういう面はどうしたらいいと思いますか？【展望意見陳述】どういう対策を取ればいいと思いますか？【展望意見陳述】 |
| 205 | C25 | やはり国からそういうこと考えなきゃいけないですね。人間としてその成績だけじゃなくて、やはり人間性を育つことが大事ですね。あのー、なんか人間は勉強だけでロボットみたいで感情がなくなって、すごくこれから問題になると思います。 |

　この例は子どものマナー教育について「そういう面はどうしたらいいと思いますか？」と質問しているが、どういう「対策」と質問内容を具体化し、「展望意見陳述」の質問を連続ですることで、質問の意図をより明確にしていることがわかる。このように、連続質問が1つ目の質問の効力に影響を与えるという点に留意し、表10のように1つ目の質問意図を補強するような質問を続ければ効果的な発話抽出につなげることができる。

5.　調査結果からの提案と今後の課題

　本研究の結果、質問意図に留意し、それを適宜使い分けることが「どう・どんな質問」に効果的であることが確認された。本稿を閉じるにあたり、以下の点を提案したい。

①「比較説明」を求める際には、その意図が伝わるように留意する。文脈に依存してしまうと、「比較説明」の意図を持っていたとしても「コト／モノの詳細説明」と受け取られてしまい、片方の説明のみの抽出になってしまう。

②「どう思いますか」という質問は、様々な解釈ができるので、意見の叙述などを求める場合は、「感想表明」に流れてしまわないよう、明確な質問意図を維持して質問する。

③連続して質問する際は最初の質問意図を貫き、被験者の答えやすい（意図したレベルより下の）回答に影響されて流されないようにする。

④「どんな」に共起する語によっては適切な質問意図を持っていたとしても、被験者の答えが名詞や形容詞だけの単文になってしまうため、その点に留意する。本研究においては、「仕事」や「部署」など、所属や本人に直接関係のある語にそのような傾向が見られた。また、「ゲーム」「バイト」「町」「本」「ジャンル」などは、形容詞にそれらの語をつけるだけで文として完成した回答となってしまうことがわかった。例えば「本」や「映画」の場合、どう＋Nの形ではなく結末やあらすじを話させることができる。

⑤複文以上を求めているのに、単文が抽出された場合、適宜フォローとなる質問をする。

　そして、テスターが明確に質問意図をもち、それが的確に伝達されることが重要であることを強調したい。質問意図を判断する過程において、筆者らテスターたちの判断が揃わない質問に対しては、被験者の回答も「単文」「複文」「段落」と色々であり、"判定可能な発話抽出"という狙いを持った効果的な質問とは言えないものであった。つまり、的確な質問意図の伝達が行われていなかったことと推察される。また、もし質問意図が曖昧に受け取られる問い

をしてしまったときには、フォローとなることばを添えることで質問意図に的確さや明確さを増すことができる。例えば、「段階・方法説明」の場合であれば、「順番に話してください」などと言うことができるだろう。

　今後は、共起する語と被験者の発話との関係性についての調査・考察や、質問意図と被験者の発話についての「どう・どんな質問」に限定しない調査などが課題である。また、本研究においては、より課題点が見つかりやすいという狙いから訓練生のデータを用いたが、OPIコーパス（KYコーパスや国立国語研究所日本語学習者コーパスなど）との比較をすることで、さらにそれが明白になることが望まれる。今後の課題とさせていただきたい。

参考文献

清水昭子・板井芳江(2010).「会話テスト練習における2度質問の分析から見えるもの－プロフィシェンシーのためのフィードバック内容を探る－」『立命館言語文化研究』23(1), 219-228. 立命館大学国際言語文化研究所.

清水昭子・板井芳江(2011).「疑問詞『どんな』を含む質問に対する答え方の問題点」Polyglossia: the Asia-Pacific's voice in language and language teaching, 21, 21-30. 立命館アジア太平洋研究センター.

牧野成一監修・日本語OPI研究会翻訳プロジェクトチーム翻訳(1999).『ACTFL-OPI試験官養成マニュアル(1999年改訂版)』アルク.

牧野成一・鎌田修・山内博之・齊藤眞理子・荻原稚佳子・伊藤とく美・池崎美代子・中島和子(2001).『ACTFL-OPI入門－日本語学習者の「話す力」を客観的に測る』アルク.

三浦謙一(2017).「第11回OPI国際シンポジウム台湾大会OPIリフレッシャーワークショップ」『2017年第11回OPI国際シンポジウム予稿集』472-480.

渡辺素和子(2010).「超級レベルにおける意見叙述・仮説抽出法：問題点と対策」『日本語OPI研究会20周年記念論文集・報告書』45-54. 日本語OPI研究会. 上・超級話者の発話を引き出すための談話展開と効果的な質問

中国語母語話者及び韓国語母語話者の引用表現の習得

—発話コーパス『C-JAS』に基づく縦断的研究—

矢野和歌子 (公益社団法人国際日本語普及協会)

要旨

本研究では、『C-JAS』(中国語・韓国語母語の日本語学習者縦断発話コーパス) の発話データをもとに、中国語母語話者及び韓国語母語話者各 3 名計 6 名を対象に、引用構造、引用標識に着目して、引用表現の習得における母語の影響を分析した。

引用表現の習得に関する研究はこれまで少ないが、杉浦 (2007) では、引用構造の習得過程は、まず「元話者＋引用句」という引用動詞のない単文構造、ついで、引用動詞が引用句に先行する「元話者＋引用動詞＋引用句」、最後に「元話者＋引用句＋引用標識＋引用動詞」という構造の順に進むとしている。杉浦 (2007) に比し縦断的研究の対象者を増やした本研究では、引用構造に関し、韓国語母語話者は、ほぼ一貫して引用句の後に引用動詞を用いており、杉浦 (2007) と異なる結果となった。この結果から、引用構造は、必ずしも「前置型」から「後置型」に移行するのではなく、母語の語順の影響を受けることが推察された。引用標識については、中国語母語話者は、「引用標識なし」の割合がほぼ全般に高めで推移していることが観察され、母語に「と」にあたる引用標識がないことの影響がうかがえた。

キーワード：引用表現、習得過程、縦断的研究、引用構造、引用標識

The Acquisition of Quotation Expression in Japanese by Native Chinese Speakers and Native Korean Speakers

The Longitudinal Study on the Utterances Collected from "C-JAS"

Wakako Yano (Association For Japanese-Language Teaching)

Abstract

This study investigates the impact of a learner's first language (L1) on the acquisition of quotation expression in Japanese. Utterances by three native Chinese speakers and three native Korean speakers—collected from "C-JAS" (Corpus of Japanese as a second language)—were analyzed in terms of quotation structure and quotation markers. Among the few studies that have focused on the acquisition of quotation expression, Sugiura (2007) states that the acquisition process in question begins with a "former speaker + excerption" pattern, wherein there is no quotation verb; proceeds to a "former speaker + quotation verb + excerption" pattern; and finally moves to a "former speaker + excerption + quotation label + quotation verb" pattern. The results of this study differ from those of Sugiura (2007) in that the L1 Korean speakers used quotation verbs after excerption almost throughout the data. Thus, it is assumed that the quotation structure did not necessarily switch from a pattern wherein the quotation verb preceded the exception to the one that it follows, and the structure was affected by the L1 word order. Additionally, the L1 Chinese speakers' tendency of not using quotation label suggests the influence of their L1, as Chinese does not have a quotation label equal to と (to) in Japanese.

Keywords: quotation expression, acquisition process, longitudinal study, quotation structure, quotation markers

1. はじめに

　日本語における引用についての研究は文法論を中心に多くなされてきたが、日本語学習者の引用表現の習得・使用の実態についての研究は、これまで少ないといえる。杉浦(2002)で指摘されているように、引用表現は複文的構造や視点表現とかかわることから、学習者にとって困難点が多いと考えられる。

　本研究では、学習者の母語や習得過程に応じた効果的な指導への示唆を得ることを視野に引用表現の習得を『中国語・韓国語母語話者の日本語学習者縦断発話コーパス』(Corpus of Japanese As a Second language　以下:『C-JAS』)(迫田・佐々木・小西・李, 2014) に収録されている会話の文字化資料をもとに分析し、縦断的に観察することで、習得の傾向を明らかにし、母語の影響を探ることを目的とする。

2. 先行研究と本研究の位置づけ

　話し言葉を対象とした引用表現の習得に関する先行研究に、鎌田 (2000)、杉浦 (2007)、立川 (2014)、Nakamura-Delloye & Ito (2015) などがある。引用表現についての母語の影響という観点では、Nakamura-Delloye & Ito (2015) が、フランス語母語話者を対象とした調査で、「と」の使用に関する母語の影響を分析しており、本研究の示唆となっている。縦断的な研究は非常に少なく、主な研究として杉浦 (2007) が挙げられる。杉浦 (2007) では、ロシア語母語話者、タイ語母語話者各 1 名を対象に面接調査(2001 年～ 2003 年にデータ収集)を実施し、この結果を補うため横断的調査 (タガログ語母語話者は 1991 年、中国語母語話者は 2005 年のデータを対象) をあわせて行っている。その結果、引用構造の習得過程は、まず「元話者＋引用句」(例：母が「がんばって」)という引用動詞のない単文構造、ついで、引用動詞が引用句に先行する「元話者＋引用動詞＋引用句」(例：母が言った「がんばって」)、最後に「元話者＋引用句＋引用標識＋引用動詞」(例：母が「がんばって」と言った) という構造の順に進むとしている。

　しかし、教育現場では上述の習得過程とは異なる順で引用構造の習得が進むケースも見受けられ、また、杉浦自身が今後の課題として指摘しているように杉浦 (2007) では、対象者の母語に偏りがあり、母語の影響が曖昧なままであるといえる。そこで、本研究では、分析の対象に韓国語母語話者を加え、縦断的調査の対象者数を増やし、引用構造と引用標識の習得について、より多面的に組織性を探りたい。

3. 調査概要

3.1 調査対象

　『C-JAS』に収録されている中国語母語話者 3 名 (C1、C2、C3)、韓国語母語話者 3 名 (K1、K2、K3) 計 6 名の全 8 回の会話を文字化した資料のうち 1 期、3 期、5 期、8 期を対象とした。対象者により若干のばらつきはあるが、平均して 3 期は 1 期の約 11 カ月後、5 期は 3 期の約 8 カ月後、8 期は 5 期の約 11 カ月後に調査が実施されている。引用標識や引用動詞のない発話も含め、検索システムに頼らず引用と考えられる発話を抽出する作業は膨大であるため、対象とする期を限定し、極力等間隔となるよう期を選定した。分析の際、変化の詳細をたどる必要があると判断したケースについては、その間のデータも参照する。

　『C-JAS』とは、Corpus of Japanese As a Second language の略で、国立国語研究所日本語教育・情報センターが作成した発話コーパスである。中国語および韓国語母語話者を対象に文法の習得研究を目的として、1991 年 7 月～ 1994 年 3 月に収集された発話データで、学習者一人につき 8 回の対話形式の調査が行われている。一回の調査は約 60 分で、対象者は、すべて教室環境学習者であり、最初の 1 年間は同じ日本語学校で同じ時期に初級から同じテキストで日本語を学んだ。以下に調査対象者の概要を示す。

＜表 1 ＞　調査対象者の概要 (迫田他 , 2014)

	性別	母語	調査期間の年齢	学習者の環境
C1	女	中国語	25 歳～ 28 歳	1 期：日本語学校　3 ～ 4 期：大学 1 年生 (看護系) 5 ～ 8 期：大学 2 年生
C2	女	中国語	20 歳～ 23 歳	1 期：日本語学校　2 ～ 5 期：短大 1 年生 (国文系) 6 ～ 8 期：短大 2 年生
C3	女	中国語	22 歳～ 25 歳	1 ～ 2 期：日本語学校　3 ～ 5 期：大学研究生 (商学系) 6 ～ 8 期：大学 1 年生 (他大学商学系)
K1	男	韓国語	21 歳～ 24 歳	1 ～ 2 期：日本語学校　3 ～ 4 期：別の日本語学校 5 ～ 8 期：専門学校 1 年生
K2	男	韓国語	18 歳～ 21 歳	1 ～ 2 期：日本語学校　3 ～ 4 期：大学 1 年生 (工学系) 5 ～ 8 期：大学 2 年生
K3	女	韓国語	21 歳～ 24 歳	1 ～ 3 期：日本語学校　4 ～ 5 期：主婦兼アルバイト 6 ～ 8 期：大学 1 年生 (商学系)

3.2 定義と分析の範囲

本研究では、藤田 (2000) に依拠し、話し言葉における引用を「他の場で表現された、あるいは、表現されたとみなされる発話を進行中の会話の場において再現すること」と定義する。そのうえで、分析の範囲を明確化するため、本来「と」で引用されるべき表現（「って」「とか」「だって」「んだって」で引用される表現も含む）を調査対象とする。ただし、「と思う」で表現される心内発話は除外する。

用語としては、再現された箇所を「引用句」、「と言った」のように引用を表示する形式を「引用形式」、引用形式中の「と」（「って」「とか」「だって」「んだって」も含む）を「引用標識」、「言った」「聞いた」のように引用を表す動詞を「引用動詞」と呼ぶ。

3.3 中国語と韓国語の語順と引用表現

基本的に中国語はSVO言語である。一方、韓国語は日本語と同様Vが最後にくるSOV言語で、わずかな違いを除いて日本語と同じ語順である(角田, 2009)とされ、日本語と同様に基本的に引用句の後に引用動詞がくる。また、引用表現については、両言語とも、直接話法と間接話法の区別があるが、韓国語には、「と」にあたる引用標識がある一方、中国語にはない(小野・李・金・ダリヤグル・牧原, 2011)。

下に例を示す。波線部は動詞で、日本語と韓国語の下線部は引用標識である。

例)

日本語：彼が私に彼女が結婚すると言いました。

中国語：他対我説：她要結婚。

韓国語：그는 나에게 그녀가 결혼한다고 말했습니다.

3.4 調査方法

上述の定義にしたがい、『C-JAS』のデータから、引用標識や引用動詞があることから引用と判断されるものの他に、引用標識や引用動詞が無くても文脈から引用だと判断されるものも含め、抽出する。その上で、杉浦 (2007) の縦断的調査の調査方法を踏まえ、まず、学習者ごとの引用標識の「あり」「なし」に着目し、期ごとの推移をみる。下記は、引用標識

に関わる発話の例である。以下、発話例中、引用を表す箇所に「」を付し [1]、引用標識に下線を引く。

＜「引用標識なし」の例＞

(1)　（「みんな何と言いました？」という問いに）

　　　えっとーえー、うーん、「元気、元気」(C1、1 期、0516)

(2)　はいー、お父さんも「あー幸せ」(K3、1 期、0543)

(3)　（前略）上手な人、私の担当になってた、中国でね、で、その時ね、仲、良くなって、「あ、教えてあげるよそういうふうにやってみて」、教えてあー、（後略）(C1、8 期、0723)

＜「引用標識あり」の例＞

(4)　はい、帰るちゅもりだったけどー、友達がー、一緒に来た人たちが、「帰っちゃだめよ」とゆって（後略）(K3、3 期、0036)。

　次に、引用構造を引用動詞が用いられない「元話者＋引用句（例：母が「がんばって」）」の型（以降、「動詞なし型」）と、引用動詞が用いられる「動詞あり型」に分ける。その上で、「動詞あり型」を引用動詞が引用句の前に置かれる「元話者＋引用動詞＋引用句」の型（以降、「前置型」）と引用句の後ろに置かれる「元話者＋引用句＋（引用標識）＋引用動詞」の型（以降、「後置型」）に分類し、「前置型」から「後置型」に移行するかといった引用構造の推移について考察する。以下に「前置型」「後置型」の発話例を示す。発話例中、引用を表す箇所に「」を付し、引用動詞には下線を付す。

＜「前置型」の例＞

(5)（前略）お姉さんどか母みんな言って、「自分やりたいのことは、うん、まあ、まだ若いから、やりたいのこと、大丈夫、今」(C2、1 期、0634)

(6) うん、保証人に、言った、「あの女の人、あまり好きじゃない」(C3、1 期、0790)

---

1) 本研究において、コーパス中に「」が付されていたもの以外にも、本研究の定義に照らし、引用であると判断される場合には、筆者が「」を付した。

＜「後置型」の例＞

(7) (前略) でもパパが、「もし大学が、の方が出来れば、うーん、ちょっと受験してみたら」と、うん、ゆったんですけど、(後略)(C2、8 期、0320)

(8) (前略)「ああ知ってる」と言った、うーん、後は、何も反対別にしなかった (C3、8 期、0240)

4. 調査結果

4.1 引用標識

　表 2 に各期における引用総数と「引用標識なし」の回数を対象者ごとに示す。また、表 2 をもとに、図 1 に引用表現の総数に占める「引用標識なし」の割合を示す。

＜表 2 ＞　引用総数と「引用標識なし」の割合

	1 期			3 期			5 期			8 期		
	引用総数 (回)	標識なし (回)	(%)	引用総数 (回)	標識なし (回)	(%)	引用総数 (回)	標識なし (回)	(%)	引用総数 (回)	標識なし (回)	(%)
C1	3	3	100	11	6	54.5	78	70	89.7	26	19	73.1
C2	39	35	89.8	87	57	65.5	45	14	31.1	44	7	15.9
C3	6	4	66.7	27	25	92.6	10	4	40.0	9	3	33.3
K1	3	2	66.7	38	5	13.2	39	3	7.7	46	6	13.0
K2	23	3	13.0	13	1	7.7	21	1	4.8	30	3	10.0
K3	8	6	75.0	69	11	15.9	108	5	4.6	80	6	7.5

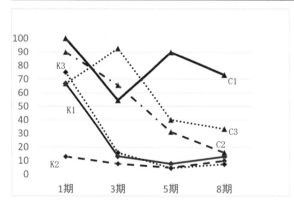

＜図 1 ＞　「引用標識なし」の割合

　1期では、韓国語母語話者1名 (K2) を除き、「引用標識なし」の割合が高く、習得の初期の段階で「引用標識なし」の構造が表出されるとする鎌田 (2000) や杉浦 (2007) の結果と矛盾しない。

　3期には、韓国語母語話者は「引用標識なし」の割合が7.7〜15.9％となり、5期には、4.6〜7.7％とさらに低下、8期は、7.5〜13.0％となっており、「引用標識なし」の割合が3期以降は3名とも20％以下と低くなっていることがうかがえる。一方、中国語母語話者については、C2の「引用標識なし」の割合が3期、5期は、韓国語母語話者に比べると高いものの徐々に低下して8期には、15.9％と韓国語母語話者と同程度となっているが、C1については、8期の「引用標識なし」の割合でみると、73％と韓国語母語話者に比べて高く、C3も33.3％と高めである。

　この結果を一般化するには、さらに対象者を増やした調査での検証が必要であるが、韓国語母語話者は早期から引用標識の使用の割合が高く、中国語母語話者については、「引用標識なし」の割合がほぼ全般に高めで推移していることについて、母語である中国語に「と」にあたる引用標識がないこととの関連が推察される。

4.2　引用構造

　杉浦 (2007) にならい引用構造を「動詞なし型」と「動詞あり型」に分け、さらに、「動詞あり型」を「前置型」と「後置型」に分類し、それぞれの回数を調べた。次の表3に、「動詞あり型」、「前置型」、「後置型」の各期それぞれの回数と、「動詞あり型」に占める「前置型」、「後置型」の割合を示す。また、表3をもとにして、図2に「動詞あり型」の場合における「後置型」の割合の推移を示す。

＜表 3 ＞　引用構造の推移

		1期			3期			5期			8期		
		動詞あり型	前置型	後置型	動詞あり型	前置型	後置型	動詞あり型	前置型	後置型	動詞あり型	前置型	後置型
C1	回	0	0	0	5	0	5	25	2	23	17	1	16
	%		-	-		0	100		8	92		6	94
C2	回	10	9	1	20	4	16	16[2]	1	14	19[3]	2	16
	%		90	10		20	80		6	88		11	84
C3	回	3	2	1	5	2	3	6	3	3	7	0	7
	%		67	33		40	60		50	50		0	100
K1	回	1	0	1	34	0	34	37	0	37	40	0	40
	%		0	100		0	100		0	100		0	100
K2	回	14	0	14	10	1	9	13	0	13	21	2	19
	%		0	100		10	90		0	100		10	90
K3	回	0	0	0	44	5	39	54	6	48	54	1	53
	%		-	-		11	89		11	89		2	98

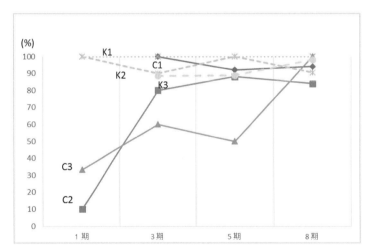

＜図 2 ＞　「動詞あり」の場合における「後置型」の割合

　　調査結果から韓国語母語話者は中国語母語話者に比べ、「前置型」の表出割合が低く、K2は、1期から「後置型」が優勢であると考えられる。1期で「動詞なし型」が優勢であったK1、K3については、2期のデータも調査したところ、K1は、引用総数3回中、「後置型」

2) 引用句の前後両方に動詞が置かれる型が1回あり、総数に含まれている
3) 同上

が 3 回、K3 は、引用総数 30 回中「動詞なし型」が 13 回、「後置型」が 17 回といずれも「前置型」の表出は見られなかった。これにより、3 名とも初期から「後置型」の使用が優勢であったと考えられ、引用構造は習得過程で「前置型」から「後置型」に移行するとする杉浦 (2007)と異なる結果となった。

　この結果から、引用構造は、必ずしも「前置型」から「後置型」に移行するのではないことがうかがえ、韓国語母語話者について、初期から「後置型」の使用が優勢であることは、母語の語順について日本語と似ている点が多く、動詞が最後にくるSOV型であり (角田, 2009) 母語でも引用を基本的に「後置型」で表すこととの関係が推測される。

5. まとめ

　調査結果から、引用標識については、韓国語母語話者は早期から引用標識の使用の割合が高く、韓国語には「と」にあたる引用標識があり、中国語にはないことの影響がうかがえた。また、韓国語母語話者については、3 名ともに一貫して「後置型」の使用が優勢であることが見られ、杉浦 (2007) と異なる結果となった。この結果から、引用構造は、必ずしも「前置型」から「後置型」に移行するのではなく、母語の語順の影響を受けることが推察された。

　母語の影響を一般化することは難しいが、以上のような習得の傾向を踏まえ、習得過程に応じて母語の影響も考慮しながら、引用表現の枠組みを明示的に教示し、意識化を図ることは、引用表現の習得を効果的に支援する際の一助となるのではないかと考える。

参考文献

小野正樹・李奇楠・金玉任・ショリナ ダリヤグル・牧原功 (2011).「日本語・中国語・ロシア語・韓国語・カザフ語の引用表現に関する対照研究」『日本語コミュニケーション研究論集』(1), 39-48.

鎌田修 (2000).『日本語の引用』ひつじ書房.

迫田久美子・佐々木 (木下) 藍子・小西円・李在鎬 (2014).『C-JAS (Corpus of Japanese As a Second language) 構築に関する報告書』大学共同利用機関法人 人間文化研究機構 国立国語研究所　日本語教育研究・情報センター.

杉浦まそみ子 (2002).「日本語の引用表現の概観-習得研究に向けて」『第二言語言語習得・教育の研究最前線-あすの日本語教育への道しるべ―言語文化と日本語教育2002年5月増刊特集号』120-135. お茶の水女子大学日本語言語文化学研究会.

杉浦まそみ子 (2007).『引用表現の習得研究』ひつじ書房.

立川和美 (2014).「日本語教育における引用表現」『流通経済大学論集』48(4) , 491-498.

角田太作 (2009).『世界の言語と日本語　改訂版』くろしお出版.

藤田保幸 (2000).『国語引用構文の研究』和泉書院.

Yayoi Nakamura-Delloye and Fumi ITO (2015).「引用構文にかかわる誤用の分析 (Analyse des erreurs relevant des structures de citation)」HAL CCSD.

国立国語研究所　日本語研究　情報センター『C-JAS』<http://c-jas.ninjal.ac.jp/> (2018年8月20日検索).

付記

　本研究は、国立国語研究所のプロジェクトによる成果『C-JAS』(http://c-jas.ninjal.ac.jp/) を利用して行われたもので、2015 年日本語教育学会秋季大会で発表した内容を加筆修正したものである。

謝辞

　本研究にあたり、首都大学東京の奥野由紀子先生、横浜国立大学の河野俊之先生に貴重なご助言を賜りました。修士課程修了後も、快くご指導いただきましたご厚意に心より感謝申し上げます。

　査読の先生方にも、親身にご指導をいただきまして、ありがとうございました。

日本語プロフィシェンシー研究学会、日本語音声コミュニケーション学会、文部科学省科研費プロジェクト基盤 B「対話合成実験に基づく、話の面白さが生きる「間」の研究」共同開催研究大会「面白い話と間、プロフィシェンシー」

2018 年 10 月 6 日（土）
京都大学

【プログラム】

13:00-13:15　開会の辞〜伝統的な「面白さ」「面白い話」研究の概要　定延利之

13:15-13:40　発表 1　　林良子（神戸大学）・宿利由希子（神戸大学院生）・
　　　　　　　　　　　　ヴォーゲ ヨーラン（神戸女学院大学）
　　　　　　　「面白い話」における応答タイミングの分析—母語・非母語話者の比較から

13:40-14:05　発表 2　　羅希（中山大学）・定延利之（京都大学）
　　　　　　　ユーモアは間とどのように関わるか—ボケ役・ツッコミ役の発話タイミングから

14:05-14:30　発表 3　　仁科陽江（広島大学）
　　　　　　　面白い話の言語比較のための方法論

14:45-15:10　発表 4　　定延利之（京都大学）
　　　　　　　「すべり笑い」とマスの推論

15:10-15:35　発表 5　　岩崎典子（南山大学）
　　　　　　　日本留学前後に見られる日本語を話す力の発達—CAF と「流暢さ」
　　　　　　　（注 , C: Complexity, A: Accuracy, F: Fluency）

15:35-16:00　発表 6　　五十嵐小優粒（国際医療福祉大学）
　　　　　　　イランの面白い話

16:00-16:45　ディスカッション：この話はなぜ・どこか・どのように面白い／面白くない？

16:45-17:00　閉会の辞　　鎌田修 (JALP)

主催

日本語プロフィシェンシー研究学会　　http://proficiency.jp/
日本語音声コミュニケーション学会　　http://www.speech-data.jp/nihonsei/
文部科学省科研費プロジェクト基盤 B「対話合成実験に基づく、話の面白さが生きる「間」の研究」　http://www.speech-data.jp/kaken_ma/

「面白い話」における応答タイミングの分析—母語・非母 語話者の比較から—
林良子（神戸大学）・宿利由希子（京都精華大学）・ヴォーゲ ヨーラン（神戸女学院大学）

　「間」は無音区間であるにも拘わらず、豊かな感性情報を有し、円滑なコミュニケーションを形成する。「間」は話のうまさ、わかりやすさ、音声の感情表現、情報の重要性、社会的スキル等と関連するとされている。しかし、微調整されたタイミングで「間」をとることは特に学習者にとっては難しい。本発表では、「間」について3つの調査を行なった。　　　　調査1では、「面白さ」を作り出すとされる4つの要素（間の取り方、ツッコミ・おちの内容、話のテンポ、話の強さ）を用いて、「私のちょっと面白い話コンテスト」の6作品を母語話者に評価してもらった。その結果、「日本語の上手さ」は「間の取り方」と高い相関があり、その他の要素も大きく影響していることが分かった。調査2では、8つの「面白い話」作品（母語話者4本，学習者4本）の「間」を測定した。その結果、母語話者では直後と約1秒後の2つのピークが観察されたのに対し、学習者では「間髪を入れない」素早い反応が多く見られることが分かった。調査3では、対話音声合成ツールを用いて会話合成実験を行ない、最も面白いと思えるタイミングを回答してもらった。その結果、母語話者では調査2でも見られた2つのピークを示した。以上をまとめると、「面白い話」の評価において「間」は重要な役割を持ち、そのタイミングは母語・非母語話者間で差異があることが示された。（本研究はJSPS科研費17KT0059の助成による）

ユーモアは間とどのように関わるか—ボケ役・ツッコミ役の発話タイミングから
羅希（中山大学）・定延利之（京都大学）

　この発表は、漫才・相声という類似する対話型の話芸を題材として、対話音声合成ツールを用いて、話の面白さを活かす間が画一的なものではなく、言語間で（具体的には日本語と中国語で）、また、話の「型」（仮に「一次型」「蓄積型」「拡大型」「呼応型」に4分）ごとに、違っているということを示そうとするものであった。結果として、日本語母語話者（日本語版）、中国語母語話者（中国語版）、日本語学習者（日本語版と中国語版）のいずれの群においても、ツッコミのタイミング選好には型の間で違いがあった。また、一次型、蓄積型、拡大型では、日本語版での選好タイミングは中国語版より早かったが、呼応型では顕著な言語差は見られなかった。なお、この発表を改訂したものを論文「ユーモアを生み出すための日中の「間」—ボケとツッコミのタイミングに関する考察」として、『日中言語研究と日本語教育』（ISSN:1883-2687，好文出版）第11号で公表予定である。

「面白い話の言語比較」

仁科陽江（広島大学）

　本発表は、「面白い話」を分析するうえで、使用言語の異なる話を比較対照する場合の方法論について問題提起するものである。今回は同じ内容についてのドイツ語と日本語七方言、および五歳児による話の動画データを実験的に採録し、事前に大会参加者に公開したうえで、発信側と受容側の視点、外国語や日本語の位相の異なりによる特徴、面白さの理由や条件などについて考察した。

　子供の話は、いわば「語彙ネタ」ひとつで面白さを構築し、独特の産出形態にその思考過程が観察された。言語変種については、プロフィシェンシーや文化差や変種のイメージによって、面白さの評価が異なった。

　また、パラ言語や話者の特性など言語・内容以外の要素や、発音や間延び、テンポ等の話し方、その他、前置きの有無、二度目以降の受容、聞き手の有無や環境など、面白さに関わる要素には様々なものがある。

対照研究のためには、その目的に応じて、分析のための比較基準を分類整理することが必要である。

「すべり笑い」とマスの推論

定延利之（京都大学）

　これまでの語用論は、人間の推論パターンとして、もっぱら、人が「個」として推論するパターンだけを追求してきた。だが、人間の推論パターンとしては、それだけでなく、「個」に還元できない「マス」としての推論パターンをも認める必要があると論じたのがこの発表である。そのために持ち出したのが「すべり笑い」、つまり話し手が「すべる」（話の面白さを聞き手にうまく感じさせることに失敗する）ことによってかえって笑いが引き起こされるという現象であった。マスの推論は、付和雷同性とは別に、脱当事者性という特徴を持っており、すべり笑いは、スチーブンソンの小説『びんの小鬼』と同様、マスの推論の脱当事者性を示しているというのが主張の概要である。なお、この発表は、改訂したものを論文として、田中廣明（編）『動的語用論の構築へ向けて』（開拓社）で公表予定である。

日本留学前後に見られる日本語を話す力の発達：CAF と「流暢さ」

岩崎典子（南山大学）

　「留学すると流暢になる」と言われるが、OPI 査定では伸びが見られない学生も少なくない。これまで留学による L2 の発達は、OPI を用いて測ることが多かった。しかし、第二言語習得研究では、CAF と呼ばれる 3 つの変数（Complexity 複雑さ、Accuracy 正確さ、Fluency 流暢さ）を測定することも多い。留学研究でも流暢さは調査されてきたものの，ほとんどの場合、CAF でも測られてきた「発話の流暢性」と呼ばれる流暢さの側面に限られ、近年重要さが認識されている「聞き手からみた流暢性」の研究は稀である．

　そこで、本研究では、米国から日本に 1 年留学した 5 名の学生の留学前後の口頭能力を OPI のレベル判定、CAF（発話の流暢性として発話速度を含む）、「聞き手からみた流暢性」で調査した。5 名の OPI（部分的サンプル）を聞いて評価したのは 58 名の日本の大学生で、「流暢さ」に加えて「こんな話し方をする人と話してみたい」についても 7 段階で評価した。その結果、5 名全員が留学後の方が流暢で、「話したい」の評価も高くなった。OPI のレベルでは留学前と比べ変化が見られなかった学生も、発話速度が速くなり、聞き手の「流暢さ」の評価も高くなっていた。また、OPI レベルと CAF には関連があり、OPI レベルが高いほど複雑・流暢だった。しかしながら、「話したい」について最も高く評価されたサンプルに繰り返しやフィラーが最も多かったり、ポーズが多い割には「流暢さ」の評価が高いサンプルがあったりなど、発話の非流暢性の指標とされる現象が必ずしも聞き手には非流暢に聞こえないようであった。今後、質的調査を要するが、ポーズ、フィラー、繰り返しなどが耳障りではなく、聞き手の興味を引くなど、なんらかの機能を果たす場合がある可能性も高い。

イランの面白い話

五十嵐小優粒（国際医療福祉大学）

　「イランの…」とは題しながら、まだまだ日本には馴染みが薄いと思われる中東のイスラム文化の紹介も兼ねて、イランのみならず周辺の中東地域を広く含めて語り継がれるジョークも対象とした。イスラミックジョークを理解するための社会的背景、特にイスラム教徒の身体を覆うスタイルとそれから生まれたジョークをはじめとして、ケチで知られるイランのエスファハーン人にまつわるジョーク、イランの日常から生まれた家庭内ジョーク、学校の先生と生徒、友人同士の会話におけるジョークを挙げた。最後に非常に無責任なサービス業のあり方を切り取ったジョークを紹介した。時間の関係上、準備したジョークを全て発表できなかったため、この場をお借りして一つご紹介したい。（裁判所で）裁判官「あなたはなぜ夫の頭を椅子で殴ったのですか？」妻「だって、テーブルを持ち上げる力がなかったんですもの。」
未だ男尊女卑の通念が根深い中、女性のたくましさが表れている。男性の方々、ご注意を。

2018 年度日本語プロフィシェンシー研究学会第 3 回例会
春合宿（柳川温泉かんぽの宿） 研究発表要旨

【特集企画】
プロフィシェンシー志向のビジネス日本語教育
―真正性の高いタスク教材の活用―

山辺真理子（武蔵野大学）

　近年ビジネス日本語教育を行う高等教育機関は増える一方だが、プロフィシェンシー志向の教育に効果的だと思われるタスク中心の教材は少ない。そこで筆者は、2006 年以来授業実践を重ねながら教材を開発してきた。タスクとして、できるだけ現実に近いロールプレイと企業文化を理解するためのケーススタディを配置し、加えて日本での仕事の流れをストーリー仕立てにし提示した。タスクをつなぐストーリーは、文脈理解を容易にする。これまでに上級、中級のテキストを 3 冊出版したが、上級レベルのテキストでは、「ビジネス日本語能力」「社会人基礎力」「異文化調整能力」の養成をねらいとしている。タスクベースの授業では、現実の使用場面を目標タスクとし、活動を通じて学習者ができることの幅を広げ、質を高めていくために、教育用タスクを用いる。ここで対象とする学習者は、仕事の経験がなく目標タスクがイメージできないことが多い。したがって実際に外国人社員として仕事をしている卒業生へのインタビュー等が目標タスクの設定には有効になる。

介護日本語とプロフィシェンシー
―介護の日本語 Can-do ステートメントを参照して―

小原寿美（広島文教大学）

　本パネルは、介護の現場で求められる言語運用能力およびその評価について、首都大学東京西郡研究室と国際交流基金が共同開発した「介護の日本語 Can － do ステートメント（Kaigo Can-do Statements：以下、KCDS）」の概要を参照しながら、検討を加えるものである。学習・就労段階で必要となる言語運用能力評価基準の一つとなる KCDS の一部を示し、外国人介護人材の言語運用能力を高めるために日本語教育現場ができることとは何かについて、検討するための素材とする。

　介護日本語プロフィシェンシーが「高まった」「伸びた」とは、いったいどのような状態であろうか。また、それをどのように測定するのであろうか。技能実習の「介護職種」の 2 号移行時の評価基準として開発中の KCDS は、内閣官房「アジア健康構想」の一環として開発されているもので、介護現場の日本語コミュニケーション能力に重点を置いた新たな日本語テストの指標となるものである。本パネルでは KCDS を概観し、介護日本語の測定について考えるととともに、介護日本語能力を伸ばすために我々ができることとは何かをグループワークにて検討する。

地域日本語教育におけるプロフィシェンシーをどう考えるべきか

S.M.D.T. ランブクピティヤ（久留米大学）

　本発表の目的は、地域日本語教育の場合、学習者のプロフィシェンシーを測る必要性、その測り方などについて検討することである。地域日本語教室に参加する学習者のニーズが多様化しており、ボランティアとして参加される地域住民（教師側）にも様々な希望や事情がある。また、地域日本語教育では一定のカリキュラムやシラバスがなく、多文化共生を求められているという特徴も見られる。これらのことから、地域日本語教育の場合、学習者のプロフィシェンシーを測りにくいと言えるが、日本語の能力に自信を持たない学習者に対して、学習者のニーズと照合した何らかの形でプロフィシェンシーを提示する必要があると考えられる。例えば、「日本語での会話を上手くなりたい」というニーズを持った学習者の場合、教室に参加しはじめた頃の会話とその 6 ヶ月後に同じテーマで行った会話の動画を比較してプロフィシェンシー提示するなどである。

公共性のプロフィシェンシーをやさしい日本語から考える
―プロフィシェンシーを生み出す・高めるために―

溝部エリ子（長崎大学）

　柳川市は、定住外国人に対する言語保障の手段として創生された〈やさしい日本語〉の概念や機能を拡張、観光へ応用し、市民レベルでの「やさしい日本語」事業を展開、地域ステークホルダーへ「やさしい日本語」の理解を深めてきた。その「場」で、日本語母語話者に求められる日本語能力は、目の前にいる外国人のニーズとタイミングに併せ、心意を汲み取り、プロフィシェンシーを駆使し、通常の日本語を調整していくことにある。極めて強い直時性を持つプロフィシェンシーは、遭遇する接触場面を処理していく上で、大きなスペックを果たし、それぞれの「場」での文脈の文型化の要となる。

　地域社会の共通言語としての「やさしい日本語」は、観光資源の魅力を極め、快適に観光を満喫できる環境となって、多様な「場」を作り出すとともに、市民のアウトリーチ活動を後押しする。さらに、「市民がコミュニケーションを行い、何かを生み出していく」公共性となって、地方創生のサスティナビリティ政策をプロモート、「多文化共生」という理念に共感するダイナミクスを生み出す可能性を秘めている。

【ポスター発表】
Intercultural competence に関する留学生と日本人学生の解釈
―VALUE Rubrics を中心に―

小山宣子（弘前大学）

　北田 2011 によると、Association of American Colleges & Universities により、VALUE ルーブリックの開発が進められており、基本学習成果をめぐる 15 個のルーブリックを作成している。本発表の分析対象とした授業では、この中から、Intercultural knowledge and competence を用い、留学生と日本人学生との共修授業（2018 後期実施）で成果物を作成した。授業終了後、成果物に対し学生が書いたレポートを分析した。

　共修授業は、教養課程の授業で、本学は交換留学生が多い。北東北 3 大学合同合宿がそのうち 3 分の 1 の時間を占め、異文化間コミュニケーション能力の向上を目指す。

　学生のレポートから、以下が言える。（1）異文化知識への言及が多い。（2）お互いの差を受け入れ、尊重することが成長と評価された。（3）違いについて（もやもやするだけで）、説明しないことは成長していないと評価された。（4）理解をせずに相手の文化を受け入れることについては、成長しているという意見と成長していないという意見に分かれた。

日本語教師が授業内で発する終助詞の一考察
―日本語初級レベルの日本語授業から―

立部文崇（徳山大学）

　日本語教師の発話は、日本語学習者（以下、学習者）の日本語理解を容易にするため、語彙や文法などがコントロールされていると考えられている。しかしながら「日本語教師発話コーパス（藤田・立部 2017）」に含まれる初級レベルの授業、約 43 時間分の日本語教師の発話を観察すると、学習者にとって正確な理解が難しいと考えられる文末表現「かね」が比較的多く観察された。この「かね」について、日本語教師 5 名に尋ねたところ、一様に年配の男性が何かを尋ねるような場面、「君が田中くんかね？」といったものが想起されると答えた。これらの回答は日本語教師の授業内発話における「かね」の不使用を予想させたが、コーパスでは 82 回の「かね」が観察された。また日本語教師の「かね」の使用は特定の位相に限られることなく、20 代女性から 40 代女性、30 代男性の日本語教師と広く使用されていた。具体的な使用例としては、理解を確認する際の「いいですかね。」といった発話、そして活動の指示と考えられる「少し復習しましょうかね。」といったものが観察された。

天気予報で学ぶ日本語・日本文化
─5 分の掛け合いから得られるボトムアップのプロフィシェンシー─

鎌田修（南山大学）

　毎朝 7 時前の 5 分間放送される各地域の NHK ラジオ天気予報はアナウンサーと気象台の予報士がその日 1 日の活動を控えた聴衆向けに「生活天気予報」の「掛け合い」を行う。本発表はそれを利用した聴解学習を紹介する。まず、アナウンサーはスタジオから見える外の情景などを述べるなどして気象台にいる予報士に電波を通して話しかける。予報士はレーダーチャートを見ながらも、予想される天気の推移に加え「お花見」「洗濯物・布団などの乾燥」「風邪予防」「お墓参り」など日本の生活文化に欠かせない話をし、アナウンサーとの「おしゃべり」を楽しむこともする。学生はタスクシートに従い、天気と生活文化に関わる情報を聞き取り、解答を板書し、それを全員で添削する。板書した情報は後日教材として配布、日々の語彙テストや中間、期末テストの材料などに使用する。このような「後方シラバス」によりボトムアップ的にプロフィシェンシーの育成を目指す。

社会科学系学部初年次のアカデミックジャパニーズ
─文のパターンから見たリーディングとライティング─

由井紀久子（京都外国語大学　国際貢献学部）

　本発表では「『概論書』は書くタスクに対し、インプットとして機能するのか」を問題意識として持ち、アカデミックな文の種類の分布はどのようか、特定の文法項目は出現しているのかを確かめるべく調査した。日本語科目授業で扱った章を「3 種類の文（浜田他 1997:44-45）」、すなわち、「事実 (Fact) を述べる文（Ｆの文）」「意見 (Opinion) を述べる文（Ｏの文）」「行動 (Action) を述べる文（Ａの文）」で分類し出現数を調べた。さらに、書くプロフィシェンシー向上の指標にもなり得る「経験・記録」のシテイル（Ｆの文）、「意見提示」のノデハナイカ（Ｏの文）、「経過提示」のテクル／テイク（Ａの文）の出現数を調べた。

　調査の対象とした文献は、授業で用いた概論書の一部で以下の通りである。経済学分野『スタンフォード大学で一番人気の経済学入門』から①『マクロ編』「第 1 章マクロ経済とＧＤＰ－経済全体を見わたす目」②『ミクロ編』「第 6 章労働市場－給料はどのようにして決まるのか」、観光学分野『観光学全集第 1 巻　観光学の基礎』③「第 1 章　観光の意義と役割」、④「第 2 章　ツーリズムと観光の定義（1 節）」、観光人類学分野『観光文化学』より⑤「1 章　観光文化学案内」、⑥「第 2 章　観光の誕生」、⑦「12 章　ディズニーランドの巡礼観光－元祖テーマパークが作り出す文化」である。

表 1 　 3 種類の文と特定文法項目の出現数（ ）内は内数 　 単位：文

文献番号	F の文（ﾃｲﾙ）	O の文（ﾉﾃﾞﾊﾅｲｶ）	A の文（ﾃｸﾙ/ﾃｲｸ）	合計
① B6 判 13 頁	108 (1)	15 (2)	6 (2)	129
② B6 判 16 頁	134 (0)	38 (0)	2 (0)	174
③ A5 判 10 頁	94 (4)	16 (0)	2 (0)	112
④ A5 判 7 頁	68 (6)	3 (0)	4 (0)	75
⑤ A5 判 6 頁	59 (3)	20 (0)	3 (0)	82
⑥ A5 判 6 頁	58 (5)	16 (1)	3 (0)	77
⑦ A5 判 6 頁	65 (1)	16 (1)	0 (0)	81

　アカデミック日本語プロフィシェンシー向上のために習得が必要な文法項目は、読み教材以外も意識して取り上げないと、十分なインプットにならないと考えられる。O の文は、批判のポイントを述べる箇所に集中して出現していたので、読みの授業の際、教授ポイントとして学習者の気づきを促すよう強調して扱う必要がある。

参考文献

庵功雄・三枝令子 (2013)『日本語文法演習　まとまりを作る表現』」スリーエーネットワーク

庵功雄・清水佳子 (2016)『日本語文法演習　時間を表す表現－テンス・アスペクト－改訂版』スリーエーネットワーク

高梨信乃 (2013)「大学・大学院留学生の文章表現における文法の問題：動詞のテイル系を例に－」『神戸大学留学生センター紀要』19

浜田麻里・平尾得子・由井紀久子 (1997)『大学生と留学生のための論文ワークブック』くろしお出版

【口頭発表】
ミャンマーの日本語教育の現状とプロフィシェンシーを伸ばす日本語学習環境構築の実践

廣澤周一（TCIJP）

　ミャンマーでは近年、留学や技能実習、エンジニアなどさまざまな理由で、日本での生活を希望する若者が増えている。日本語学習機関も 200 以上存在するが、多くは旧来の暗記型の日本語教育を行っており、読み書きの能力に比して、聞く・話すコミュニケーション力がそれほど高くない。そこで 2018 年 7 月よりプロフィシェンシーを総合的に伸ばす日本語学習環境構築の実践を行った。発表者は主に教材選定とカリキュラムのコントロールを行い、会話教材は日本語教育経験のない日本人と N4 合格レベルのミャンマー人教師のペアティーチング、総合教材はミャンマー人教師によるミャンマー語中心の指導とした。この実践を通じて会話力とともに、特に聴解能力に伸びが見られた。また 2019 年 2 月の NAT-TEST で G1 の 20 名中 15 名が N4 合格、G2 は 20 名全員が N5 に合格と総合的な日本語能力についても評価できる結果となった。さらに教室を社会的実践の場として、教師間・学習者間で相互的な学びが生まれるような仕掛けも行った。その成果についても報告する。

留学生を対象とした日本語口頭能力試験評価ルーブリックの妥当性検証
―外部基準を利用したパフォーマンス評価法改善の試み―

池田隆介（北九州市立大学）

　本調査は、日本語パフォーマンス評価のためのルーブリックを ACTFL-OPI を活用したアセスメントで改善することができるか否かを確認することを目的として行われた。小規模クラスの授業で実施しているパフォーマンス・テストは、測定法や評価法に現実との乖離が生じないように持続的なアセスメントが必要となる。そこで、実際に学習者が授業で受けたパフォーマンス・テストの結果と OPI を比較し併存的妥当性の検証を行った。その結果、「正確さ、プレゼンテーションに必要な非言語行動との相関性が高い」「事前準備が可能な項目との相関性が低い」等の結果を得た。OPI はアセスメントの手段として有効であり、クラス内の試験がパフォーマンスの遂行に必要な能力を適切に検証することがかのうであると考察された。一方で、OPI はプロフィシェンシーを点数化して表しているわけではないことから、サンプ数の少ない小規模クラスのアセスメントに利用する際に注意が必要となるという課題も明らかになった。

プロフィシェンシー＋ファボラビリティー？

定延利之（京都大学）

1.　観光日本語・ビジネス日本語・介護日本語の教育は、学習者の能力評価にまつわる以下2点の事情を、無視できないものとして我々に自覚させる：①学習者の日本語能力を評価する際、「会話相手（顧客）にとっての好ましさ」という非客観的な要素を含めざるを得ない（たとえば「うまいけど、なんか腹立つ」という学習者の日本語は、「なんか」の科学的解明を待たず、とにかく低く評価せざるを得ない）；②その「好ましい言い方」は状況に応じて実に多様である。

これら2特徴は学習者の能力評価を困難にする。ではどうするか？

2.　①の「好ましさ」については、ただただ、そういうものと認めるしかない。動物や異文化圏の人間の行動を動物行動学や文化人類学で専門的に記述する際には白眼視される、非客観的な「自己投影」が、介護の現場では被介護者の顔色を読み取るなどの形で、むしろ切実に求められている。そもそも介護日本語に限らず日本語の教育が、そうしたニーズに応えなければならない、危険だが不可避な営みであることを忘れてはならないだろう。

3.　②の「多様さ」についても、学習者の能力を評価する際の状況提示は、不十分なものにならざるを得ないと認めるしかない。というのは状況の細分化はキリがないからである。必要なのは「さまざまな状況にふさわしい、さまざまな言い方を学習者に覚えさせること」というよりも、「学習者が状況を自分で細分化し、それに応じた言い方を学べるようにすること」つまり「実際の状況に合わせて、手持ちの言い方を修正し、それを「新たな状況での新たな言い方」として習得するという、（環境との、そして心内知識との）インタラクション能力を学習者の内に育てること」である。本来評価すべきはこの能力であろう。

4.　プロフィシェンシー論はどこへ行くのか。客観性に基づく科学を標榜し、「計測に馴染まない「好ましさ」はプロフィシェンシー論の問題ではなく、ファボラビリティー論の問題である」などと言って済ませるのか。それとも「ファボラビリティー論などというものは無い。好ましさも含めて、すべてはプロフィシェンシーの問題だ」と腹をくくるのか。

いずれにせよ、我々は評価の基準を少しでも明確にするために、「状況に応じた好ましい言い方」を不完全な形でも、具体的に示していかねばならない。

彙報

事務局

◆ 2018 年度活動報告

(1) 研究例会

2018 年度は以下 3 回の研究例会を開催した。

第 1 回

開催日時 :2018 年 6 月 30 日（土）13:30 ～ 17:40

場所：京都外国語大学 4 号館 5 階 452 教室

参加者数 :79 名

第 2 回

開催日時 :2019 年 1 月 12 日（土）13:30 ～ 17:40

場所：京都外国語大学 4 号館 5 階 452 教室

参加者数 :60 名

第 3 回

開催日時 :2019 年 3 月 23 日（土）24 日（日）

場所：柳川かんぽの宿

参加者数 :49 名

(2) 日本語音声コミュニケーション学会と共催で研究大会「面白い話と間，プロフィシェンシー」を行った。

開催日時 :2018 年 10 月 6 日（土）13:00 ～

場所：京都大学文学研究科第 3 講義室

参加人数 :54 名

● 2019 年度活動計画

以下の日程で研究例会を開催する予定である。プログラムの詳細は未定。

第 1 回　2019 年 6 月 22 日（土）　@京都外国語大学

第 2 回　2020 年 1 月 11 日（土）　@京都外国語大学

第 3 回　2020 年 3 月 21 日（土）-22 日（日）　@未定

以下の日程で OPI 国際シンポジウムを行う予定である。詳細はホームページでご確認ください。http://dalian2019.proficiency.jp

OPI 国際シンポジウム 2019@ 大連　　2019 年 11 月 2 日～ 3 日

場　所：大連外国語大学（http://www.dlufl.edu.cn/）

テーマ：OPI とは？そして、プロフィシェンシーとは？――日本語の運用能力の根っこから頭の先まで――

ニューズレター

◆日本語プロフィシェンシー研究学会　ニューズレター第4号

2018年度第1回研究例会・総会
日時：2018年6月30日（土）13:30-17:40
場所：京都外国語大学452教室

▼プログラム

13:30-13:40 会長挨拶　鎌田修（南山大学）

13:40-15:10　講演
「音声の見える化を目指して　―会話教育での音声指導について―」
鹿島央氏（南山大学教授）

15:20-16:00　研究発表
「引き上げ方式による『生の日本語』を用いた教授法の可能性」
堤良一氏（岡山大学准教授）

16:10-17:20　ブラッシュアップセッション
テープ提供者：渡辺祥子氏（大阪大学）

17:20-17:40　総会

◆日本語プロフィシェンシー研究学会　ニューズレター臨時増刊号
研究大会「面白い話と間、プロフィシェンシー」報告

日時：2018年10月6日（土）13:00 ～
場所：京都大学文学研究科　第3講義室

▼プログラム
発表1「『面白い話』における応答タイミングの分析 ―母語・非母語話者の比較から」
林良子氏（神戸大学）　宿利由希子氏（神戸大学院生）　ヴォーゲ・ヨーラン氏（神戸女学院大学）
発表2「ユーモアは間とどのように関わるか ―ボケ役・ツッコミ役の発話タイミングから」
羅希氏（中山大学）　定延利之氏（京都大学）
発表3「面白い話の言語比較のための方法論」
仁科陽江氏（広島大学）
発表4「『すべり笑い』とマスの推論」
定延利之氏（京都大学）
発表5「日本留学前後に見られる日本語を話す力の発達―CAFと『流暢さ』」
岩崎典子氏（南山大学）

発表 6「イランの面白い話」

五十嵐小優粒氏（国際医療福祉大学）

ディスカッション：この話はなぜ・どこが・どのように面白い／面白くない？

◆日本語プロフィシェンシー研究学会　ニューズレター第 5 号

2018 年度第 2 回研究例会

日時：2019 年 1 月 12 日（土）13:30-17:40

場所：京都外国語大学 452 教室

▼プログラム

13:30-13:40　会長挨拶　鎌田修（南山大学）

13:40-15:00　ブラッシュアップセッション

テープ提供者：横山りえこ氏（名古屋経済大学）

15:10-15:50　研究発表

「中国語の"会"からみた中国語を母語とする日本語学習者の誤用」

張浩然氏（京都外国語大学大学院　博士後期課程）

16:00-17:30　講演

「初級日本語教科書の練習問題再考」

坂本正氏（名古屋外国語大学教授）

17:30-17:40　事務連絡

◆日本語プロフィシェンシー研究学会　ニューズレター第 6 号

2018 年度春合宿（第 3 回研究例会）

テーマ：「みんなで考えるプロフィシェンシー：—地域、観光、ビジネス、介護を例に—」

日時：2019 年 3 月 23 日（土）・24 日（日）

会場：柳川かんぽの宿

▼プログラム

3 月 24 日（土）

13:00-13:10　会長挨拶　鎌田修（南山大学）

13:15-16:05

特集企画「みんなで考えるプロフィシェンシー—地域・観光・ビジネス・介護—」

コーディネータ：伊東祐郎氏（東京外国語大学）

パネリスト講演題目

「プロフィシェンシー志向のビジネス日本語教育—真正性の高いタスク教材の活用—」

山辺真理子氏（武蔵野大学）
「介護日本語とプロフィシェンシー―介護の日本語 Can-do ステートメントを参照して―」
小原寿美氏（広島文教女子大学、看護と介護の日本語教育研究会副代表幹事）
「地域日本語教育におけるプロフィシェンシーをどう考えるべきか」
S.M.D.T. ランブクピティヤ氏（久留米大学外国語教育研究所）
「公共性のプロフィシェンシーをやさしい日本語から考える―プロフィシェンシーを生み出す・高めるために」
溝部エリ子氏（長崎大学、地域支援語学研究所代表）

16:15-17:15
研究発表（第 1 部 ポスター発表）
「Intercultural competence に関する留学生と日本人学生の解釈」
小山宣子氏（弘前大学）
「日本語教師が授業内で発する終助詞の一考察：日本語初級レベルの日本語授業から」
立部文崇氏（徳山大学）
「天気予報で学ぶ日本語・日本文化：5 分の掛け合いから育むボトムアップのプロフィシェンシー（実践報告）」
鎌田修氏（南山大学）
「社会科学系学部初年次のアカデミックジャパニーズ―文のパターンから見たリーディングとライティング―」
由井紀久子氏（京都外国語大学）

3 月 25 日（日）
研究発表（第 2 部 口頭発表）
9:00-9:30 「ミャンマーの日本語教育の現状とプロフィシェンシーを伸ばす日本語学習環境構築の実践」
廣澤周一氏（TCIJP）

9:30-10:00 「留学生を対象とした日本語口頭能力試験評価ルーブリックの妥当性検証―外部基準を利用したパフォーマンス評価法改善の試み―」
池田隆介氏（北九州市立大学）

10:00-10:30 「プロフィシェンシー＋ファボラビリティー？」
定延利之氏（京都大学）

10:40-12:00 OPI ブラッシュアップセッション
「より良い『超級インタビュー』をめざして」
嶋田和子氏（アクラス日本語教育研究所）

12:00-12:10 事務連絡

ブラッシュアップセッション検討委員会

◆ 2018 年度第 1 回研究例会
「OPI ブラッシュアップセッション」 テープ提供者：渡辺祥子氏 (大阪大学)

▼ 趣旨

インタビューを聞き、被検者のレベルを判定する力を磨くことと、OPI のインタビューを現場の教育実践に
活かす方法を模索することを目的として、セッションを行った。

▼ 概要

通常通りインタビューを聞き、レベル判定を行った上で、「この学習者をさらにひとつ上のレベルに引き上げるなら、具体的にどんな指導を行うか。」という点についてグループで話し合った上で、web サイト「Padlet」で意見を共有し、全体で議論を深めた。「中級・上」レベルの学習者を「上級」に引き上げるための具体的な指導法について、活発な議論が行われた。

◆ 2018 年度第 2 回研究例会
「OPI ブラッシュアップセッション」 テープ提供者：横山りえこ氏 (名古屋経済大学)

▼ 趣旨

インタビューを聞き、被検者のレベルを判定する力を磨くことと、突き上げの弱さをいかに改善するかを模索することを目的として、セッションを行った。

▼ 概要

テープ提供者の都合が合わず、研究例会会場には来ることができなかったため、Zoom を用いて提供者と会場をつないでセッションを実施した。インタビューを聞き、全員でレベル判定をしたところ、「中級・上」、「上級・下」、「上級・中」で判定が分かれた。（トレーナーはどちらも上級・中であった。）全体でディスカッションを行い、「スパイラルに展開するコツ」や「被験者の話からタネを拾って質問する」といった質問の仕方や突き上げ方法について活発に意見を出し合った。

◆ 2018 年度第 3 回研究例会 (春合宿)
「より良い超級インタビューを目指して」 講師：嶋田和子氏 (アクラス日本語教育研究所)

▼ 趣旨

トレーナーの嶋田先生が 2009 年に韓国でデモンストレーションをされた時の超級話者へのインタビューを聞き、超級インタビューの悩みや疑問点について話し合うことを目的としてセッションを行った。

▼ 概要

まずセッションの参加者から「OPI 超級インタビュー」に関する悩みや不安な点を挙げてもらい、それに対して嶋田トレーナーが 1 つずつ丁寧に答えるという形で、活発なやり取りが行われた。その後、嶋田トレーナーの超級インタビューのテープを聞いた上で、感想や意見を全体で共有した。模範的な超級インタビューを 30 分フルで聞けたことで、参加者にとっては、超級話者に立ち向かっていく勇気と具体的な注意点やスキルを得られる機会となった。

ジャーナル編集委員会

●『日本語プロフィシェンシー研究』第 7 号　投稿状況

『日本語プロフィシェンシー研究』第 7 号（本号）は、投稿が 7 本（研究論文 5 本、調査論文 1 本、研究ノート 1 本）であった。そのうち、4 本（研究論文 2 本、調査論文 1 本、研究ノート 1 本）が採用となった。

●『日本語プロフィシェンシー研究』8 号投稿論文の募集について

日本語プロフィシェンシー研究学会では、研究誌『日本語プロフィシェンシー研究』8 号を 2020 年 6 月に発行する。第 8 号の投稿論文は、2019 年 7 月初旬より原稿を募集する。『日本語プロフィシェンシー研究』8 号、論文等の投稿要領、投稿手続きの詳細は研究学会ホームページをご確認ください。

会計

2018 年度の会計支出は、当研究学会の運営費用、例会開催費用、ジャーナル発行・送付費用等でした（詳細報告は 2019 年 6 月総会で行います）。当研究学会では会員様からの年会費を活動資金とさせていただいております。今年度より諸処の事情により年会費を 3000 円とさせていただきますが、ご理解を賜り、年会費納入にご協力くださいますようお願いいたします。

●会費納入方法

年会費：3000 円（4 月始まりの 1 年間）
口座：三菱東京 UFJ 銀行　八戸ノ里支店　店番 236
ニホンゴプロフイシエンシーケンキユウガツカイ　サカウエアヤコ
（日本語プロフィシェンシー研究学会　事務局長　阪上彩子）
口座番号 :0032175

お振込の際、以下のような場合は、お手数ですが、下記までご連絡ください。
(1) 振込人（引落口座）のお名前がご本人と異なる場合
(2) 領収書が必要な場合
　　kaikei@proficiency.jp
年会費の支払い状況についてご不明な場合は、下記までお問い合わせください。
　　kaiin@proficiency.jp

『日本語プロフィシェンシー研究』バックナンバー

『日本語プロフィシェンシー研究』 創刊号
【寄稿】
鎌田修　「プロフィシェンシーとは」
嶋田和子　「教師教育とプロフィシェンシー
　　　　　―OPI を「教師力アップ」にいかす―」
伊東祐郎　「評価とプロフィシェンシー」
由井紀久子「ライティングのプロフィシェンシー向上を目指した日本語教育教材」
川口義一　「プロフィシェンシーと対話
　　　　　―プロフィシェンシー言語教育における教室の位置づけ」
齊藤あづさ・榊原芳美
　　　　　「短期留学における自律学習と協働学習の試み
　　　　　―笑顔と達成感をめざして―」
【研究論文】
坂口昌子　「日本語母語話者に対する日本語教育
　　　　　―話すことに関しての教育効果―」
【展望論文】
麻生迪子　「処理水準仮説に基づく未知語語彙学習
　　　　　―韓国人日本語学習者を対象に―」
【調査報告・展望論文】
萩原孝恵　「依頼場面の談話分析
　　　　　―タイ人日本語学習者は借りた DVD の返却日をどう延ばすか―」
【実践報告】
木村かおり「多文化社会における異文化間言語学習能力を考える
　　　　　―おにぎりプロジェクトをとおして―」

『日本語プロフィシェンシー研究』 第2号
【特集】
野山広　「地域日本語教育とプロフィシェンシー」
野山広・森本郁代
　　　　「地域に定住する外国人に対する OPI の枠組みを活用した縦断調査の調査からみえてきたこと
　　　　　―多人数による話し合い場面構築の可能性を探りながら―」
嶋田和子　「定住外国人に対する縦断調査で見えてきたこと
　　　　　―OPI を通して「自らの声を発すること」をめざす―」
岡田達也　「基礎2級技能検定学科試験問題 "テニヲバ ノート"」

櫻井千穂・中島和子
　　　　「多文化多言語環境に育つ子ども（CLD 児）の読書力をどう捉え，どう育てるか
　　　　　　─対話型読書力評価（DRA）の開発を通して得た視座を中心に─」
新矢麻紀子「定住外国人のリテラシー獲得に向けた学習支援とプロフィシェンシー」
【書評】
堤良一　　　「趣旨説明：プロフィシェンシーを重視したテキスト」
白石佳和　　「cannot-do から can-do へ　─『できる日本語』と評価─」
佐久間みのり『『できる日本語』を通じた日本語学校における教室活動の再考
　　　　　　─プロフィシェンシーを重視した日本語教育現場の新たな可能性─」
奥野由紀子「『新・生きた素材で学ぶ中級から上級への日本語』
　　　　　　─実際の使用とワークブックの開発まで」
一条初枝　　「『「大学生」になるための日本語』は何を教えたか
　　　　　　─日本語学校の現場から─」

『**日本語プロフィシェンシー研究　第 3 号**』
【研究論文】
権藤早千葉・花田敦子
　　　　「日本語予備教育における定期的 OPI 実施が学習動機に与える影響
　　　　　　─学習者の発話データを基に─」
金庭久美子・金蘭美
　　　　「書き言葉の資料に見られる読み手配慮と文化的能力」
【研究ノート】
奥野由紀子・山森理恵
　　　　「「励まし」の手紙文における文末文体への教室指導
　　　　　　─「タスク中心の教授法 (TBLT)」の観点を取り入れて─」
太田悠紀子「「ちょっと…」の機能と断り指導」

『**日本語プロフィシェンシー研究　第 4 号**』
【研究論文】
萩原孝恵・池谷清美
　　　　「集中的に舌打ちを発したタイ人日本語学習者の発話に関する一考察」
滝井未来　　「学習者の語りを通じて見る学習意欲とビリーフ変容
　　　　　　─タイ人学習者を取り巻く社会との関わりから─」
范一楠　　　「情報獲得の際の「そうですか」と「そうなんですか」」
村田晶子　　「社会的行為としての OPI インタビュー活動の可能性」
高橋千代枝「日本語の発話行為「助言」の談話構造に関する一考察
　　　　　　─母語話者ロールプレイの会話分析から─」
麻生迪子　　「多義語派生義理解の知識源に関する考察
　　　　　　─韓国人日本語学習者を対象に─」
伊東克洋　　「非直接的フィードバックと自己訂正率
　　　　　　─初級日本語学習者によるコーパス分析の可能性─」

【研究ノート】

西部由佳・岩佐詩子・金庭久美子・萩原孝恵・水上由美・奥村圭子

　　　「OPI における話題転換の方法

　　　　　―上級話者と中級話者に対するテスターの関わり方に着目して―」

安高紀子　「対話者とのやりとりの有無が談話構造に与える影響」

宮永愛子　「日本語学習者の雑談における協働的な語り

　　　　　―効果的な語りを行うために―」

【第 10 回国際 OPI シンポジウム】

パネルディスカッション　＜日本語教育に求められる多様なつながり＞

　　　鎌田修・春原憲一郎・定延利之・嶋田和子・大津由紀雄・當作靖彦

　　　研究発表要旨

『日本語プロフィシェンシー研究』　第 5 号

【寄稿論文】

山梨正明　「認知言語学と知の探求　―言語科学の新展開！―」

清水崇文　「語用論研究の知見に基づいたコミュニケーションスキルの指導」

山森理絵・鎌田修

　　　「生素材の教材化、その楽しさと苦しさ―リスニング教材の作成を一例に―」

【研究論文】

嶋田和子　「スクリプトで評価すること」から見る言語教育観

　　　　　―「話の組み立て」と「文」のとらえ方―」

【JALP・「面白い話」研究プロジェクト共同開催】

　　　「プロフィシェンシーと語りの面白さ」第 2 回研究集会

　　　定延利之・岩本和子・楯岡求美・林良子・金田純平・Gøran Vaage・三井久美

　　　子・鎌田修

『日本語プロフィシェンシー研究』　第 6 号

【寄稿論文】

鎌田修　　「新生日本語プロフィシェンシー研究学会

　　　　　―その成り立ちと今後に寄せる期待―」

嶋田和子　「アブディン氏との OPI を通して学んだこと

　　　　　―見えるからこそ見えていない「大切なこと」―」

森篤嗣　　「日本語能力の評価と測定

　　　　　―作文におけるパフォーマンス評価と質的評価・量的測定を例に―」

【研究論文】

木下謙朗　「形容表現におけるプロフィシェンシー

　　　　　―韓国語母語話者の縦断データに基づいて―」

大隈紀子・堀恵子「上・超級話者の発話を引き出すための談話展開と効果的な質問」

【JALP　これまでのあゆみ】

　　　鎌田修・藤川多津子・岡田達也・服部和子・嶋田和子・和泉元千春

　　　【2017 年度日本語プロフィシェンシー研究学会第 3 回例会　春合宿（京都嵐

山「花のいえ」）研究発表要旨】
富岡史子・長谷川由香・東健太郎・舟橋宏代・渡辺祥子

―日本語プロフィシェンシー研究学会　2018 年度役員・委員―

会長　　　　　鎌田修
副会長　　　　由井紀久子　堤良一
監査　　　　　野山広
顧問　　　　　嶋田和子　伊東祐郎　上宮真理子
事務局長　　　阪上彩子
副事務局長　　坂口昌子
会長補佐・企画　　定延利之　松田真希子

ジャーナル編集委員会
五十嵐小優粒　立部文崇　杉本香　長谷川哲子　溝部エリ子　岩出雪乃

『日本語プロフィシェンシー研究』第 7 号 査読協力者（五十音順）
池田隆介　和泉元千春　伊東祐郎　鎌田修　坂口昌子　堤良一　中西久美子　西川寛之
西村美保　廣利正代　松田真希子　三浦謙一　由井紀久子　横田隆志

ニューズレター編集委員会
廣利正代　野畑理佳　笠井陽介　渡辺祥子　高智子

会計
三井久美子　尾沼玄也　五十嵐小優粒

研究集会委員会
白鳥文子　上谷崇之　范一楠

地区連絡員
池田隆介　西川寛之　伊藤亜紀　楊帆　林智子　横田隆志

広報
廣澤周一　東健太郎　尾沼玄也

ブラッシュアップ委員会
東健太郎　上谷崇之　笠井陽介

日本語プロフィシェンシー研究　第 7 号

2019 年 6 月 30 日　初版第 1 刷　発行

編集　　日本語プロフィシェンシー研究学会ジャーナル編集委員会
　　　　（編集委員長　五十嵐小優粒）

発行　　日本語プロフィシェンシー研究学会　事務局
　　　　〒 662-8501　西宮市上ヶ原一番町 1-155
　　　　関西学院大学国際学部　阪上彩子研究室

発売　　株式会社凡人社
　　　　〒 102-0093 東京都千代田区平河町 1-3-13
　　　　TEL：03-3263-3959

印刷　　倉敷印刷株式会社